二〇二一年二月十二号

哈佛大学排名第一的课程

透析克隆幸福的DNA，幸福的真相愈分享愈璀璨

幸福的方法

HAPPIER:
Finding Pleasure, Meaning and Life's Ultimate Currency

泰勒·本−沙哈尔（Tal Ben−Shahar）◎著　　汪冰　刘骏杰◎译

当代中国出版社

Contemporary China Publishing House

图书在版编目(CIP)数据

幸福的方法/(以) 沙哈尔著；汪冰，刘骏杰译/汪冰审校.— 北京：当代中国出版社，2007. 9 （2009. 5 再版）
ISBN 978-7-80170-640-9

Ⅰ.幸⋯　Ⅱ.①沙⋯ ②汪⋯ ③刘⋯ ④汪⋯　Ⅲ.幸福—通俗读物　Ⅳ.B82-49

中国版本图书馆 CIP 数据核字(2007)第 146502 号

HAPPIER:Finding Pleasure, Meaning and Life's Ultimate Currency
by Tal Ben-Shahar, Ph.D.
Published by arrangement with The Sagalyn Literary Agency
Simplified Chinese translation copyright © 2007
by Contemporary China Publishing House Limited
ALL RIGHTS RESERVED
ⓒ2007 中文简体字版专有出版权属当代中国出版社
未经版权所有者书面同意，不得以任何手段复制本书任何部分。
版权合同登记号　图字：01-2007-4418

出 版 人　周五一
策 划 人　闻　洁　朱玉梅
责任编辑　宗　边
特约编辑　娄　旻　闻　洁　孟庆江
责任校对　王小芸
装帧设计　尚书堂
出版发行　当代中国出版社
地　　址　北京市地安门西大街旌勇里 8 号
网　　址　http://www.ddzg.net　邮箱：ddzgcbs@sina.com
邮政编码　100009
编 辑 部　(010)66572152　66572264　66572154　66572155
市 场 部　(010)66572281 或 66572155/56/57/58/59 转
印　　刷　北京润田金辉印刷有限公司
开　　本　640×960 毫米　1/16
印　　张　13.25 印张　4 插页　127 千字
版　　次　2009 年 5 月第 2 版
印　　次　2009 年 5 月第 1 次印刷
定　　价　28.00 元

哈佛大学最受欢迎的人生导师泰勒·本-沙哈尔博士

泰勒博士在哈佛大学讲课现场

泰勒博士接受CCTV-2《全球资讯榜》和CCTV-9《对话》专访，讲述"幸福的秘密"。

关于开心生活与充实人生的秘密

你总可以更幸福

泰勒·本-沙哈尔

献给我的家人
HAPPIER

▶▷▶

HAPPIER:
Finding Pleasure, Meaning and Life's Ultimate
Currency

▶ ▷ ▶

目录 Contents

目录 Contents

前　言

——幸福是一门科学

生活本身的目的就是获得幸福，追求幸福让众生
殊途同归。

　　　　　　　　　　　　　　—— 安妮·弗兰克（Anne Frank）

2002 年，我第一次在哈佛大学教授积极心理学，
当时有八个学生报名，其中还有两人中途退课。在整个授课
过程中，我们不断地探索一个终极的问题：我们如何才能自
助并帮助他人——包括个人、社区以及社会——变得更幸
福？我们共同尝试了许多方法，诸如分享个人经历、体验负
面情绪和快乐，后来终于更清楚地了解到利用心理学获得幸
福与充实生活的秘诀。

在接下来的一年中，越来越多的人了解到了这门课程。

因为我的老师兼引路人菲利普·斯通（Philip Stone），他是哈佛大学第一个积极心理学教授，建议我为该课程举办一个说明性的讲座。结果，那年选修这门课程的学生总数达到了380人。在年终课程评估上，超过20%的学生反馈说这门课程改善了他们的生活质量。而在接下来的一个学期，已经有850名学生选课，这也让积极心理学成为哈佛听课人数最多的课程。

美国"心理学之父"威廉·詹姆士（William James）一百多年前的思想总是激励着我，在教学中坚持实用性，去发掘"学术研究发现的真实价值"。我向学生们提起真实价值时，并不是指金钱或是某方面的成果与名声，而是指我所认为的"至高财富"，也就是所有目标的终点站——幸福。

这不只是一个简简单单讨论"美好生活"的课程。学生们除了阅读和学习研究报告之外，我还要求他们把所学应用在实际生活中。他们学会与恐惧相处，找寻自己的优势，设定短期以及长远的目标；我也鼓励他们去冒险尝试，在其中去发现自己最适合的舞台（这通常是在舒适和紧张之间的某个地带）。

作为一个性格内向的人，我在第一次上课时面对6个学生还可以应付；而到了第二年需要面对将近400名学生，这对我来说就变成了一个巨大的挑战。第三年当学生数目已经达到850人时，上课让我感到更多的是紧张和不安，特别是当学生的父母、爷爷奶奶和那些媒体的朋友们开始出现在我课堂上的时候。

一场幸福的革命

自从《哈佛红人》（*Harvard Crimson*）和《波士顿环球时报》（*Boston Globe*）报道了积极心理学课程火暴哈佛之后，质疑声就从未停止过。人们似乎可以感觉到我们正处于某种革命之中，但是并不十分清楚革命的意义。如何解释哈佛大学等高校对积极心理学热切的需求？为什么从小学到中学，甚至成年人都对此表现出浓厚的兴趣？是因为当今社会抑郁的人越来越多，还是 21 世纪的教育或西方的生活方式使然？

事实上，对幸福研究的独特性在于它超越了时间与地域的限制。任何时代，任何地方，所有人都在不断地追求幸福。柏拉图为开讲"美好生活"而建立学院，而他的杰出弟子亚里士多德则为了表达自己对生命繁荣的观点而开设讲堂。而在早于他们一个世纪的时候，中国的孔夫子周游列国去传播他对追求充实生活的理想。无论是现在还是过去，所有宗教和哲学无不涉及关于幸福的问题。最近，自助学（self-help）大师有关如何获得幸福的书籍，已经在从印度到印第安纳，从耶路撒冷到吉达港乃至世界各地的书店都占据了显著的位置。

虽然研究如何获得幸福的热情和实践在世界各地从未停止过，而对积极心理学的需求却从未像当今社会这般迫切。在美国，抑郁症的患病率比起 20 世纪 60 年代高出了 10 倍，而发病年龄也从 60 年代的 29.5 岁下降到今天的 14.5 岁。最近一项调查也表明，将近 45% 的美国大学生因抑郁而影响到了正常的社会生活。而很多国家也与美国情况相似。1957 年英国有 52% 的人表示自己感到非常的幸福，到 2005 年只剩下了 36% 了，而在这段时间里，英国国民平均收入提高了 3 倍。中国的经济发展异常迅猛，而与此同时，儿童和成年人焦虑症和抑郁症的患病率也在上升。中国卫生部的报告称："我们国家儿童和青少年的精神卫生状况的确令人担忧。"

就在物质生活水平不断提高的同时，抑郁症的蔓延也在加剧。虽然现代人（多数西方国家和一些东方国家）比前人富有得多，但我们却并不比前人开心。米哈伊·西卡森特米哈伊（Mihalyi Csikszentmihalyi），一位积极心理学的权威，问过这样一个问题："我们这么富有，为什么我们还不开心呢？"

当人们的基本物质需要未得到满足的时候，解释为什么不幸福是非常容易的。但在当今的社会中，大多数人不幸福的原因已经不能用基本物质需要没有得到满足来解释了。越来越多的人想解决一个悖论——"财富带给我们的好像并不是幸福"，而他们都开始在积极心理学中寻找答案。

为什么积极心理学能带来幸福？

积极心理学通常被称为"帮助人类发挥潜能的科学"①，1998 年时任美国心理学会会长的马丁·塞里格曼（Martin Seligman）将其作为一个新的心理学领域正式提出的。此前，对幸福的研究（提高我们的生活质量）主要是由大众心理学（pop psychology）所占领。在众多的培训和书籍中，我们确实可以发现很多的乐趣并被深深地感染，但是它们缺乏实质性的内容。它们所保证的"幸福的五大步骤"、"成功的三大秘密"以及"四种找到完美爱人的方法"等等，通常是空头的承诺，以至于多年后人们对"自我激励运动"嗤之以鼻。

在学术方面，曾经有许多著作和研究极富实证性，但却无法应用于生活之中。在我看来，积极心理学就是连接象牙塔和日常生活的桥梁，它既有学术的严谨性与精准性，同时也具备自助运动给人带来的愉悦和乐趣。当然，这些也正是本书的主旨。

---

① 此定义是摘自《积极心理学宣言》（*The Positive Psychology Manifesto*），1999 年由当时积极心理学领域的领袖提出。积极心理学的定义为："积极心理学乃是一种研究人类本身潜力的科学。它旨在发掘使个人以及社会进步的积极因素。积极心理学运动，给了心理学界一个新的研究方向，也超越了传统心理学，只是关注疾病和失衡的旧模式。"定量言的详细内容可参见下面的网址：http://www.ppc.sas.upenn.edu/akumalmanifesto.htm

　　大部分的自助运动都有"承诺多，效果少"的通病，原因是它们缺乏科学研究的证据支持；与之相反，经过学术研究的成果，基于严格的考证与实践，具备更大的实证性。而且，研究者从来不随便保证。也正因为如此，他们所保证的一般都会实现。

　　正因为积极心理学是连接学术成果与日常生活的桥梁，积极心理学家所提供的方法无论是通过何种形式（书籍、讲座或是网络），有时候可能会类似那些自助学大师的想法，简单而且非常容易实施，但是这种简单性和可及性又与自助运动有着本质的不同。

　　美国最高法院的法官奥利弗·温德尔·福尔摩斯（Oliver Wendell Holmes）曾说过："无知，与复杂无关，对此我不屑一顾；简单，是对复杂的超越，对此我奋不顾身。"福尔摩斯所看重的简单，是经过探索和研究以及深思和测试而得到验证的本质性结果，而不是那些没有根据、凭空猜测的结论。积极心理学家深入探究现象本质及事实真相，从复杂回归简单，最终产生可行的想法，实用的理论，还有简单而有效的技巧。而这并不是一件容易的事，在福尔摩斯之前的千年里，达·芬奇就已经指出过"至繁归于至简"。

　　为了找到幸福生活的精髓，积极心理学家们与其他社会科学家和哲学家一起，投入了足够多的时间和巨大的精力，正是为了找出纷繁现象背后简单的实质。本书中的部分内容，正是来自于他们的研究结果，而它们绝对可以帮助你活得更快乐、更充实。我知道它们是可行的，因为它们已经深深地帮助了我。

如何利用这本书？

这本书旨在帮助你了解幸福的真相，并帮助你过得更幸福。但是，仅阅读本书（或是其他任何书籍）本身，是无法令你的生活发生任何实质性改变的。我不相信改变生活这么巨大的工程会有什么捷径，如果想要借由本书来帮助自己，你必须把它看作一本练习册，练习的内容包括了反思和行动才行。

没有实际行动，仅仅看书是不行的，深入的自我反思是必不可少的。在书里，你会经常看到"反思"（而不是一般地休息一下）。这些有引导性的问题，是给每个人一个机会、一个提醒，让读者给自己一两分钟的时间去反思和消化自己所阅读的内容，并进行自我探索。如果没有这些暂停的话，则大部分内容因为不能被具体化而很容易被我们忘记。

书中除了"反思"时间之外，在每一篇结尾部分还有较长的练习，目的是为了帮助大家能更好地理解所学的内容，并帮助大家把学到的知识更加深入地应用于日常生活之中。在所有练习中，有些练习你可能会特别喜欢，比如写日志可能比冥想更适合你。你可以先从感觉比较自然和舒适的练习开始，在熟练了之后，再进行其他练习。这些练习是我在研究中发现的最有效的心理学干预手段。更多的练习一定会给你带来更多的益处。这些练习很简单，却有重要的实际效果，确实可以帮助你生活得更开心、更充实。

本书分为三篇。第一篇分为5章，介绍了什么是幸福以及幸福生活的重要方面；在第二篇里的第6章到第8章中，讨论了如何把这些想法应用到教育中、工作上以及家庭生活里。最后一篇则包括了七个冥想练习，提供了一些关于幸福的本质，以及它在我们生活中位置的洞见。

在第1章里，我首先回忆了自己的过去——那些激发我追求幸福这门学问的经历。在接下来的一章里，指出了幸福既非来自满足眼前的欲望，也不是无止境地追求长远目标。我们一般所看到的幸福模式——"享乐主义型"只要满足当前的欲求，"忙碌奔波型"不能体会任何生活中当下的快乐，生活只为了目标实现的那一刻——都是不可行的，因为它们两者都不同程度地忽略了人们的两种基本需要，那就是"当前的快乐+未来的获益"。

在第3章中，我解释了为什么快乐必须同时包含意义和快乐两个因素，有明确的人生目标，同时又可以体验当下的喜悦情绪。我认为，生命的终极目标应该是幸福，一个高于其他所有目标的总目标。而在第4章中，我提出幸福才应该是至高的财富，而金钱或声望绝不是用来衡量生命的标准。

我经常会反思有关物质财富和精神财富的关系，并讨论了为什么有些人拥有了巨大的财富、地位和声望之后，却仍然内心充满苦痛，甚至精神崩溃。第 5 章，将本书关于目标设定的方法与其他心理学理论进行了结合，帮助读者更好地设定目标，取得更大的成功。

在第 6 章中，我开始将第 2 章的理论应用在生活中，去探索为什么大部分的学生不爱上学，并且研讨了有关教育者的角色，家长和老师应如何帮助学生更开心同时更成功。书中同时解析了两种学习模式：溺水模式和性爱模式。第 7 章的主旨在于破除外在成功必须以牺牲内在的快乐为代价的错误观念，并提供了一种方法，帮助读者找到能发挥自身优势，同时获得快乐和意义的工作。第 8 章中探讨了幸福生活中最重要的成分：爱。我讲了无条件去爱和被爱的重要性，为什么无条件的爱在幸福里扮演如此重要的角色，还有其对生活其他方面的广泛影响。

在最后一篇的第一冥想中，我讨论了幸福、爱自己和爱他人之间的关系。第二冥想介绍了幸福强心剂的概念，即一些可以带来快乐和意义的简短练习，它们可以加强我们整体的幸福感。第三冥想反驳了一些旧思想，包括幸福取决于天生条件和早期经历等不可改变的因素。第四冥想中解说了有关突破内心自我限制的方法，从而帮助我们获得更大的满足和自我实现。第五冥想提供了一些需要我们反思的内容，我们可以据此来进行自我反思，寻找答案。第六冥想指出了一个最普遍的幸福障碍，即时间压力——人们总是企图将越来越多的事情在越来越少的时间内做完，这严重地破坏了我们的幸福感。

最后一个冥想专门献给这场"幸福的革命"。我相信如果能有足够多的人把幸福作为至高财富和人生目标的话，我们看到的将不止是普遍的幸福，还有一个和平与善良的世界。

致中国读者

我曾非常有幸在中国多次传播积极心理学。而我每次对我的学生们必说的第一句话就是，我的课程中其实并没有什么是他们所不知道的。为什么？因为虽然积极心理学是1998年才在美国创立的心理学新流派，但其核心元素很多都是来自于中国的哲学思想和世界观。而许多中国朋友对此的了解其实要比西方人要早得多。

比如孔子早就提到，"修身"本来就是"齐家、治国、平天下"的核心。而这正是现代幸福科学的基本假设：要帮助别人，我们得先学会帮助自己。与之相比，西方心理学现在才刚刚开始研究（或是重新研究）身心合一的重要性。中国数千年来传统医术的神奇，也正在被最新科学技术一步步地验证。按摩和传统的冥想在西方得到日益广泛的应用，就证实了西方正在慢慢地追赶东方的脚步。

如果积极心理学的很多想法并不是全新的（尤其是对中

国读者来说），那他们读这本书以及去认识这个新领域的意义是什么呢？原因在于，有时候确实需要靠一些东西来提醒我们很多已经知道而忘记了的事情。当你读这本书的时候，你会发现，许多想法是你很熟悉的、知道的或是似曾相识的。我希望你对它的反应是："哦！我知道这个，很高兴你提醒了我。"因为这些想法和价值观，其实本来就是深入在你们的文化以及个人和社会发展的历史中，我不是要把你们带到一个新的未来，而是要把你们带到一个更真实的未来——一个与你们的传统有着密切关系的未来。

整体来说，西方科学家喜欢很透彻地研究物体，包括把它们解剖、分解、不断放大来仔细地研究；而东方科学家则是把事物联系起来，从整体的角度，缩小并退后一步来仔细地观察。这两种方式都很重要，所以，如果我们想要最完整地了解积极心理学（或是其他的任何学术），我们必须要集合双方的精华，先分解，再把它们组合起来，而不是二选一。换句话说，也就是要搭建一座学术界的桥梁——一座能让东西方智慧通行无阻的桥梁。

为了让东西方智慧能够自由地通行，双方都必须保持谦虚的态度。谦虚带来的是开放的头脑，骄傲带来的则是武断。而为了能更接近真相，我们需要对任何想法抱着客观的态度，而不是只宣扬自己的观点和立场。开放的思想加上有分辨力的头脑和心灵，绝对可以帮助我们完成关于幸福和自

我实现的人生的复杂拼图，看清所有的脉络和细节。更重要的是，还可以达到孔子理想中健康和谐的社会。

为东西方搭建这座桥梁（把和谐带给个体与社会）正是积极心理学以及这本书的主要目的。这也是为什么在中国的教课与学习，令我本人受益匪浅，备感有意义的原因。

第一篇
幸福是什么

第 *1* 章

探讨幸福的疑问——识破"幸福的假象"

　　我们永远都可以更幸福，没有人总是处于完美的生活状态而无欲无求。

　　16岁那年，我在以色列全国壁球赛中夺得冠军，那次经历让我对幸福的理解发生了根本的转变。

　　我曾经深信胜利可以令我快乐，可以减轻我长期以来的空虚感。在长达五年的训练中，我一直感觉到生命中好像缺少了些什么……无论是通过拼命的运动，或是不断地自我勉励，都无法填补这种内心的空虚。我虽然曾为此闷闷不乐，但我相信那空虚早晚会被填补。那时我认为，无论是身体或心理都必须要坚强才能胜利，而胜利会带给我充实感，这种充实感才能让我最终幸福。

如我所愿，在胜利后我欣喜若狂，与家人、朋友举行了隆重的庆祝。那时，我对自己的理念更是深信不疑：胜利可以带来的快乐，为此种种生理和心理上的苦痛都是值得的。

可是就在那天，当我睡前坐在床上，尝试着再回味一下那无限的快感。忽然间，那胜利的感觉，那梦想成真的喜悦，所有的快乐都消失得无影无踪。我内心忽然觉得很空虚，只有迷惘和恐惧，泪水涌出，不再是喜极而泣而是伤心难过。如果在如此顺意的情况下尚不能感到幸福，我将到何处去寻找我人生的幸福？

我努力告诉自己，这是暂时的神经过敏。可是在接下来的日子里，我仍没有找回那快乐的感觉，相反内心的空虚感越来越严重。我开始慢慢地发现，胜利并没有为我带来任何幸福，我所依赖的逻辑彻底被打破，我感到完全不知所措。

🎗 反思：

回想一下，有没有曾经在达到一个重要目标之后，却没有得到你所预期的喜悦？

我认识到自己必须改变对幸福的认识，更深刻地理解幸福的真意。自那时起，我开始对一个问题非常着迷：如何才能得到真正的幸福？我开始找寻答案——我观察谁看起来幸福，向他们请教诀窍；我读遍了所有与幸福有关的书籍，从亚里士多德到孔子，从古代哲学到现代心理学，从学术研究到自我激励书籍等等。

为了帮助自己找寻幸福，我决定在大学里主修哲学和心理学。在那里，我认识了许多杰出的人士，他们和我一样都在追求幸福的答案，其中包括作家、思想家、艺术家、教师等。我开始认真阅读和分析书籍，聆听有关内在动机和创造性的讲座，了解柏拉图关于"美好"的理论，以及爱默生关于"完整内心"的观点——这些好像给我戴上了一副新的眼镜，让我对生命和身边的种种事物有了新的看法和态度。

其实我并不孤独，我的同学中大部分人都生活得不开心。可是他们好像并不在乎，他们只是在努力地追求好成绩，苦练成为出色的运动员，或是为了高薪的工作而奋斗，但在追求和达成这些梦想的过程中，他们却很少体会到快乐。

虽然在离校后他们的目标改变了（比如以往是追求好成绩，现在是追求高薪和晋职），他们的生活态度却没有丝毫改变。就好像他们已经认定了一点，那就是要成功就必须经历痛苦作为代价。难道真如梭罗所观察到的大部分人在"寂静的绝望"中生活？就算如此，我也绝不会认同这种令人悲观的情况是生活的常态。我继续提出了下面的问题：如何既成功又快乐？怎样去协调抱负和幸福？是否可能打破"无苦无获"的传统观念？

后来我明白了，要想得到这些问题的答案，我必须先理解幸福到底是什么。它是一种情绪？就像快乐一样？还是没有痛苦？还是好运气？快乐、运气、狂喜、满足这些字眼经常被作为幸福的代名词，但是它们都不符合我对幸福的理解，这些情绪上的东西会像时间一样飞逝。没错，它们感觉很好，但是它们无法成为衡量幸福的标准，更不能成为幸福的支柱。真正的幸福不应该是绝对没有不良的情绪，而是经得起困难和挫折的考验。

辨别那些我不认同的观点是非常容易的，但要找到合适的定义是最难的。人们都会讨论幸福，都感觉得到幸福，但却缺少一个完美的定义帮助我们更深入地理解它。英文"幸福"（Happiness）一词的来源为冰岛语里的 Happ，其意思为运气或是机会，Happ 同时也是"偶然"这个词的来源。我可不想凭着运气去获得幸福，因此我要寻找并理解它的真意。

🏆 **反思：**

你会怎样定义幸福？幸福对你来说意味着什么？

我从 16 岁开始思考这个问题，但是直到今日尚无一个完满的答案，也许永远也不会有。在大量的阅读、研究、观察和思考后，我没有找到任何幸福的神奇配方，世上并没有什么所谓"幸福的五步法"，我写作本书的目的，是希望能

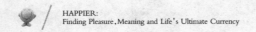

够帮助大家更多地了解幸福和充实地生活所蕴含的基本原则。

当然，这些基本原则不是万灵药，不可能适用于任何情况下的任何人。本书所注重的领域乃是积极心理学，并未将重点放在诸如重度抑郁或者急性焦虑障碍这些阻碍人们获得幸福的病症上。当然，这些原则的目的也不是阻止生活中不良事件的发生，而是帮助我们积极地应对。

有时，对那些身处战乱、政治迫害，以及极度贫困中的人们，书中的一些方法是难以付诸实践的。又比如，在刚刚失去至亲之人的时候，人们也是很难去关注自身的幸福。当然，即使在不是很严重的情况下（如失望、工作或者亲密关系中的一段困难期），人们也很难有精力关心如何更幸福。在上述情况下，我们所能做的就是无论在何种困难情况下，都允许自己诚恳地体验那些负面情绪，并允许它们有自然的转变过程。

每个人的生命中都会有无可回避的痛苦，会有很多内在与外来的影响我们获得幸福的障碍，有时不是靠读一本书就可以解决的。但是更好地理解幸福的真意，并将本书中的一些方法应用在生活中，的确可以帮助大多数人在大多数时候更加幸福。

从幸福到更幸福

无论在写作本书的过程中，还是在阅读其他有关幸福的作品或思考关于幸福的问题时，亦或观察我身边人的生活时，我常常会问自己："我幸福吗？"别人也问过我同样的问题。用了很长时间，我才发现，这个问题虽然很重要，但意义并不大。

我怎样才能判断自己是否幸福？我在什么时候才能变得幸福？是否有关于"幸福"的统一标准？如果有，它是什么呢？如果说我们的幸福取决于与他人的比较的话，那么我们周围的人究竟有多幸福呢？其实，这些问题很难有确切的答案，即便有，这些答案本身对提升我们的幸福感也没有什么帮助。

"我是否幸福？"这个问题本身就暗示着对幸福的两极看法：我们要么幸福，要么不幸。在这种理解中，幸福成为一个终点，我们一旦达到，对幸福的追求就结束了。但实际上这个终点并不存在，对这一误解的执著只能导致不满和挫败感。

我们永远都可以更幸福，没有人总是处于完美的生活状态而无欲无求。与其去问自己是否幸福，勿宁去探求一个更有帮助的问题："我怎样才能更幸福？"这个问题不但吻合了幸福的本义，还表明了幸福是一个长期追求、永不间断的过程中的某一段。比如，我现在要比五年前幸福；我也希望，五年后的今天我能比现在更幸福。

与其因为还没有达到的幸福境界而感到垂头丧气，与其浪费力气去苦思冥想自己到底有多幸福，不如认真地去体会和挖掘幸福这一无穷无尽的宝藏，同时去争取得到更多。要记得，追求幸福应该是我们终生的目标。

练 习

建立习惯——我们的习惯造就了我们

我们都知道，改变是困难的。研究指出，学习新方法，建立新的习惯，或者打破旧的习惯甚至比我们预想的还要困难，所以绝大多数个人和组织的改变尝试都以失败告终①。事实证明，在履行我们承诺的时候，即使这些承诺对我们是有益的，但仅仅依靠自律也是远远不够的。

吉姆·罗尔（Jim Loehr）和托尼·施瓦兹（Tony Schwartz）在《怎样全神贯注地生活》（*The Power of Full Engagement*）一书中提供了一些有关"改变"的不同看法：与其强化自律性，不如建立固定的习惯。他们认为："建立习惯要求确定行动的细节，并在特定的时间内完成——这需要深度价值观

---

① 丹尼尔·戈尔曼（Daniel Goleman）、理查德·博亚特兹斯（Richard Boyatzis）和安妮·麦基（Annie McKee）研究指出，大部分企图做出改变的人，都会在"蜜月期"过后失败——也就是从开始到熟悉的阶段。相关资料请参考科特（Kotter, J.P.）的著作 《引领改变》（*Leading Change*）。哈佛商学院出版社，1996 年。

的支撑。"

建立习惯并不是一件容易的事，但维持一个已建立好的习惯就没有那么困难了。最好的运动员有自己的一定之规：他们知道自己何时进行实地训练，何时应该在健身房锻炼，何时训练柔韧性①。对大多数的人来说，每天刷两次牙是一种规律，不需要什么强大的意志力。所以，只要能建立良好的习惯（即行为惯性），余下的事情就很简单了。

对运动员来说，良好的运动表现是他们价值观的最集中体现，所以他们会在训练中养成良好的习惯；对大部分人来说，健康是非常重要的，所以他们每天都会准时刷牙。如果我们要追求幸福，认清它是最有价值的目标，我们需要为它建立习惯。

什么样的习惯能让你更幸福呢？你希望生活发生怎样的改变？比如，每周运动 3 次，每天早上冥想 15 分钟，每个月看两场电影，与伴侣每个星期二出去逛逛，隔天阅读一些有趣的读物等等。每次建立新习惯时不要太多，一到两个足矣；另外在习惯被固定下来之前，不要试图增加新的。就像托尼·施瓦兹（Tony Schwartz）说的："微小的成果，要比野心勃勃导致的失败好得多……不要着急，成功会像滚雪球

---

① 当我在打壁球时，每天都最少训练 6 个小时，人们经常会讨论有关我训练的问题，但我从不在意。虽然我在场上和健身房里非常卖力，但每天的活动却没有什么挑战性，原因是我当时已经把那些活动习惯化了。

一样越滚越大。"

一旦你确定了新习惯的内容，先把它们写在你的笔记本上，然后开始行动。刚开始可能并不容易，但通常 30 天之内，一个新的习惯就可以被固定下来，变得像刷牙一样的自然①。用亚里士多德的话来说就是："我们的习惯造就了我们。卓越不是一次行为，而是一种习惯。"

人们一般抵制建立习惯性行为的原因，常常是觉得它们会限制自身的主动性和创造性，特别是诸如安排固定的时间和伴侣约会，或是规律性地从事艺术性的活动（如绘画）。事实上，如果我们不把活动变为习惯和规律——无论是去健身房运动，还是和家人相聚，或是阅读——我们通常永远不会再去尝试它们，结果往往不是顺其自然，而是让我们变成被动地生活（任凭自己的精力和时间被他人的需要所占用）。在一个有规划、有规律的生活中，我们可以妥善地安排时间，为更好地发展我们的自主性和创造性提供时间保证。更重要的是，我们可以把自主性和创造性与这种习惯性行为完美地结合起来，比如在设定的约会时间，我们可以随意地选择约会的地点。最具创意的人们（像艺术家、商人或是家长）都有他们自己的日常习惯。相反的，这些日常规律使得

①正如威廉·詹姆士（William James）所说的，建立一个新习惯，需要两天的时间。施瓦茨（Schwartz）和罗尔（Loher）认为不超过一个月。他们同时也借用了一位名人的话："所有事情都是通过不断的练习而变得简单。通过练习，我们可以改变，我们可以转变自我。"

他们更富创意，并可以更好地发挥自主性。

在本书中，我还会不断地提供类似的练习，当你做不同的练习，建立不同的习惯时，你就会觉得越来越幸福。

表达感激——每天记下五件值得感激的事

罗伯特·爱孟斯（Robert Emmons）和迈克尔·麦克洛夫（Michael McCullough）的研究表明，把那些感激的事情每日记录下来的人——每天写下最少五件值得感激的事——确实在生理和心理上都有较高的健康水平。

每晚在入睡前，写下五件让你感到快乐的事即一些让你感激的事。这些事情可大可小，从一顿饭到与一个好友的畅谈，从工作到信仰。

如果每天都做的话，你可能会重复地列出一些事情，这很好；重点是，在重复之外，为了让你每次回忆的情感体验保持新鲜，请在把它们写下来的同时，去想象每件事当时的体验和感受。当感恩成为一种习惯，我们会更多地珍惜生活中的美好，而不会把它们当成是理所当然。

你可以自己做这个练习，也可以与你爱的人一起完成，比如爱人、子女或者是父母、兄弟姐妹。共同表示对生活的感激可以让彼此关系更加亲密和谐。

第 2 章

协调现在与未来
——为顶登而努力，并享受攀登的过程

就算当我们必须牺牲一些眼前的快乐时，也不要忘记在生活的方方面面，仍然不断地发掘那些能为我们带来即时的和未来的幸福感的行动。

为了准备年度最重要的壁球赛，我天天苦练，同时还严格地遵守饮食限制。在开赛前一个月，我只吃最瘦的白色肉类、全麦的碳水化合物，以及新鲜蔬菜和水果。我告诉自己，等比赛一结束，我就要好好大吃两天"垃圾食品"。

比赛一结束，第一件事就是赶去我最爱的汉堡店。我一口气买了四个汉堡。当我离开柜台时，我深深地体会到巴甫洛夫的实验犬当铃声响起时的心情。我坐下来，急不可待地撕开第一个汉堡的纸包，就在将汉堡放在嘴边的一刹那，我

突然停住了。

四个星期来我是多么期盼这一刻的到来，现在当汉堡就在我面前时，我居然不想吃了。我开始努力思考这其中的原因，后来我发现了所谓的"幸福模型"，我更愿称它为"汉堡模型"。

我认识到，在上个月，因为我的健康饮食，不但身体健康而且体能充沛。我相信我会享受那些汉堡的美味，但吃过之后我可能会后悔并影响健康。

看着眼前那四个汉堡，我忽然发现它们每个都有自己的独特风格，代表了四种不同的人生态度和行为模式。

汉堡模型——四种人生模式

第一种类型的汉堡是我最先拿起来的汉堡，它虽然口味诱人，却是标准的"垃圾食品"。吃它等于去享受眼前的快乐，而埋下了未来的痛苦。

及时享乐而出卖未来幸福的人生，可以称为"享乐主义型"。"享乐主义型"的格言就是"及时行乐，逃避痛苦"，他们注重的是眼前的快乐，不为任何可能发生的负面后果而担忧。

第二种汉堡口味很差，里面全是蔬菜和有机食物，食用这类汉堡的确可以确保日后的健康，但我会吃得很痛苦。这类人与"享乐主义型"相反，他们牺牲眼前的幸福，为的是追求未来的目标。我称这类人为"忙碌奔波型"。

第三种汉堡最糟糕，既不好吃也不健康，如果吃了它，不但现在无法享受美味，日后还会影响健康。与此类似，有一种人对生命已经丧失了希望和欲望，他们既不享受眼前的事物，对未来也没有任何期望。我称其为"虚无主义型"。

上述三种类型并不是我们全部的选择。会不会还有一种汉堡，与第一种一样好吃且与第二种一样健康呢？会不会有一个平衡了即时和长久益处的汉堡呢？

最后这一种汉堡就叫作"幸福型汉堡"。生活幸福的人，享受当下所从事的事情，而且通过目前的行为他们可以获得更加满意的未来。

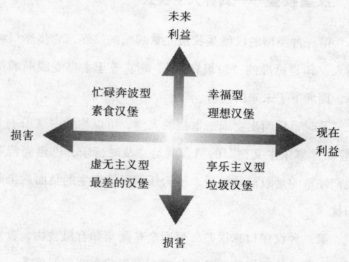

图 2-1　幸福的汉堡模型

图 2-1 解说了四种类型在现在和未来的获益。纵轴代表未来，正面影响在上，负面影响在下。横线代表现在，正面影响向右，负面影响向左。

我介绍的这些不同类型的汉堡，只是理论上的分类，并不代表任何具体的人。其实在某些程度和方面，我们每一个人都会有各种类型的一些特点。为了能更清晰具体解释每一种类型，下面的部分有点像寓言，不过我们强调的只是主人公所代表的类型而不是他本身。现在就让我们跟着蒂姆，一起来看看他不同的人生阶段。

🐚 反思：

回顾你过去和现在的生活，你经常处于哪一个或者哪两个象限呢？

忙碌奔波型——痛苦的消除不是幸福的来临

蒂姆小时候是个无忧无虑的孩子，一直过着开心的生活，但从上小学那天起，他忙碌奔波的一生就开始了。他的父母和老师经常说，上学的目的就是取得好成绩，这样长大后才能找到好工作。他们并没有告诉他学校可以是个获得快乐的地方，或者说，学习本来就应该是一件令人开心的事情。

由于害怕考试考不好，担心作文写错字，蒂姆背负着极大的焦虑和压力。他每天所盼望的只是下课和放学，他的精神寄托就是每年的假期，因为只有那时他才不需要为学校的事情烦恼。

蒂姆逐渐开始接受大人的价值观（成绩就是成功的唯一标准），虽然他不喜欢学校，他还是在努力学习。当他成绩优秀时，父母和老师都会夸奖他，被灌输了同样观念的同学们也非常羡慕他。当升入高中时，蒂姆已经深信不疑：牺牲现在是为了换取未来的幸福；无苦，无获。虽然他对学业和生活并无好感，他还是全力前进着。头衔和荣耀的力量推动着他，当压力大到无法忍受时，他开始安慰自己说："上大学后一切都会变好的。"

收到大学录取通知书时的轻松和喜悦，让蒂姆激动落泪。他郑重地告诉自己，他终于可以开心地生活了。但事与愿违，没过几天，那熟悉的焦虑卷土重来。他担心不能在和同学的竞争中取胜，因为如果无法击败他们，将来就找不到理想的工作。

在四年大学生涯里，他继续忙碌地奔波着，努力地为自己未来的履历表增添光彩：成立学生社团，做义工以及参加多种运动项目。他小心翼翼地选修课程——完全不是出于兴趣，仅是为了选这些科目可以获得更好的成绩。

当然这其中蒂姆也有开心的时候，特别是在完成了一些艰难的任务之后。但这些快乐完全来自于如释重负的感觉，它们并不持久,焦虑很快又会如影随形地降临。

在大四那年的春天,蒂姆被一家著名的公司录用。他又一次兴奋地告诉自己,终于可以开始享受生活了。但他很快发现,这份每周需要工作 84 小时的高薪工作让人充满了压力。他说服自己,现在小小的牺牲没关系,必须努力地工作,这样今后的职位才会更稳固,才会更快地晋升。像读大学时一样,他也会偶尔开心一下,因为加薪、奖金或升职。但这些满足感同样很快消退了。

在多年的努力之后,公司邀请他成为合伙人。他依稀记得当初曾认为如果有一天可以成为合伙人的话,一定会非常幸福。但是,现在当这一天真的来临,他并没有感到丝毫的快乐。

蒂姆在大学里是一个优秀的学生,现在是一个知名公司的合伙人,在高级住宅区里和爱人拥有一栋豪宅,他开着名牌跑车,银行的存款一辈子都用不完,但是他并没有感受到幸福。

具有讽刺意味的是,蒂姆被身边所有人认定为成功的典型,朋友们把他当作偶像,教育小孩时都会以蒂姆为榜样。但是蒂姆为可能和他拥有一样命运的孩子们感到悲哀,但又不知道如何才能改变。他甚至不知道如何教育自己的孩子,难道告诉他们,在学校不用努力,不用上好大学,不需要找好的工作?到底是不是想成功就必须忍受痛苦呢?

虽然蒂姆是如此闷闷不乐地忙碌奔波着，但是仍有很多每星期工作 80 小时的人们，他们对工作抱有极大的热情，享受完全地投入工作之中。从来没有规定，成功一定要以牺牲快乐为代价，有很多为了学业、工作每天努力而勤奋的人，他们也过得十分开心。"忙碌奔波型"和这些人最大的不同，就是他们不懂得如何去享受他们的工作，还坚守着根深蒂固的错误观念："一旦目标实现，就会开心快乐。"

为何有这么多"忙碌奔波型"的人呢？最主要的原因是社会环境和文化背景：如果成绩全优，家长就会给我们奖励；如果工作表现好，就会得到奖金。我们习惯性地去关注目标，而常常忽略了眼前的事情，最后导致终生的盲目追求。我们从不会因为过程而受到奖励，能否达到目标才是衡量一切的标准。社会只褒奖成功的人，而不是正努力着的人——只看终点，而无视过程。

一旦达到目标之后，我们经常把放松的心情解释成幸福，好像工作越艰难，成功后幸福感就越强。因此当我们有这种错觉时，我们不由自主地就对这种生活方式屈服了。不可否认这种解脱让我们感到真实的快乐，但是它绝不应该被等同于幸福。

这种幸福可称为"幸福的假象"，它们来自于压力和焦虑的消除，无法维持长久，因为它本身就是和负面情绪共生的。这就好比一个人头痛好了之后，他会为头不痛了而高兴。但由于这种喜悦来自于痛苦的前因，当痛楚消散，我们很快就会把健康当成一种理所当然的事，病愈的喜悦早已消失得无影无踪。"忙碌奔波型"的人错误地认为成功即是幸福，坚信一旦目标实现后的放松和解脱即是幸福，因此他们不停地从一个目标奔向另一个目标。

反思：

回想一下，你是否在某一段时期，曾经忙碌奔波的生活着。如果有，以一个第三者的角度去给自己一些建议。

享乐主义型——无所事事是魔鬼设下的陷阱

"享乐主义型"的人总是寻找快乐而逃避痛苦。他们只是盲目地满足欲望，而从来不认真地考虑后果。他们认为，一个充实的生活就是不断地满足自己各种各样的欲望。眼前的事只要能让他开心，就值得去做，一直到有更好的乐子再说。他们在爱情和友情方面精力旺盛，但新鲜劲过后，他们就会开始物色下一段感情。由于享乐主义者只看重眼前，短暂的快乐有时会让他们失去理智，比如吸毒。享乐主义者根本的错误在于将努力与痛苦、快感和幸福等同化了。

有这样一个故事。一个冷血的歹徒被警察打死后，天使出现了，对他说可以答应他任何要求。一开始歹徒对自己可以进入天堂感到难以置信，随后他慢慢接受了这个事实，并开始贪婪地要求——大笔的金钱、山珍海味、美女，每次都能如愿以偿，他感觉好极了。但是慢慢地，他的喜悦越来越少，这种不劳而获的生活让他感到无聊。于是，他向天使请求一些有挑战性的工作，但天使回答道："在这里什么都有，就是没有事情可做。"在没有任何挑战的情况下，他越来越不开心。终于，他向天使提出了离开天堂的请求。他说就算是去地狱，他也要离开。忽然之间，天使变成了魔鬼的样子，魔鬼笑着对他说道："你早就在地狱了。"

这就是享乐主义者误认为天堂的地狱。没有目的和挑战，生活变得毫无意义；如果我们只想着享乐，总是逃避挑战和问题，那和一般动物有什么不同呢？但每个人心中多少都会有一些"享乐主义型"的成分，把努力和痛苦等同化，只图享乐而不再追求生命的意义，期待理想中的伊甸园早日出现。

在一个与上述故事类似的研究中，心理学家付费给一些大学生，对他们的要求就是什么也不能做。他们的基本需要得以满足，但是禁止进行任何工作。在4~8小时后这些大学生开始感到了沮丧，尽管参与研究的收入非常可观，但他们宁可放弃参与实验而选择那些压力大同时收入也没有这么多的工作。

1996年，我曾为一批南非的政府官员讲授如何培养领导力。他们告诉我，在对抗种族隔离的运动中，他们有着极为清晰的使命感，虽然当时的生活很艰难，甚至危险，却因充满挑战而令人兴奋。当种族隔离制度被废除时，南非人民庆祝了好几个月。当狂欢慢慢消退，许多曾为破除种族隔离制度而奋不顾身的人，开始感到厌倦、空虚，甚至沮丧。当然，没有人愿意再回到从前，但在全心全力所投入的伟大事业告一段落之后，他们确实感到了无所适从。其中一些人尝试着去找寻新的生活意义，包括家庭生活、社会责任、工作或是个人爱好方面；但也有一些人，即使在多年以后还是无法找到生活的新方向。

米哈伊·西卡森特米哈伊（Mihalyi Csikszentmihalyi）毕生致力于研究高峰体验和巅峰表现，他曾说过：“人类最好的时刻，通常是在追求某一目标的过程中，把自身实力发挥得淋漓尽致之时。”享乐主义者的生活完全没有挑战，不可能获得幸福。美国前任卫生部秘书长约翰·加德纳（John Gardner）说过：“无论在山谷还是山巅，我们生来就是为了奋力攀登，而不是放纵享乐。”

现在让我们回到蒂姆的故事。由于他无法在盲目的追求中找到幸福，他决定干脆把注意力放在当下。他开始用酗酒、吸毒来麻醉自己，开始尝试只以快乐为目的滥交。他尽可能地延长假期，在阳光下一待就是几个小时，享受着毫无目的的人生，再也不去担心明天的事。起初他发现这样快乐极了，但就像前面故事中的那歹徒一样，蒂姆很快感到了厌倦与不快。

反思:

回想一下，你是否曾经有过作为享乐主义者的经历或者一段享乐主义的生活，这种生活的优点和代价是什么？

虚无主义型——被过去经验击垮的胆小鬼

虚无主义者是那些已经放弃追求幸福的人，不再相信生活是有意义的。如果"忙碌奔波型"代表为了未来而活，"享乐主义型"代表为了现在而活，则"虚无主义型"代表了沉迷于过去，放弃现在和未来的人。他们被过去的阴影所缠绕。

这种心态在心理学家马丁·塞里格曼（Martin E.P. Seligman）的研究中被称为"习得性无助"。塞里格曼将实验狗分为三组。在三个地板充电的房间里，第一组被轻微地电击，而它们旁边有一个开关，只要碰一下，就可以停止电击。第二组也遭受电击，但它们没有任何方法阻止电击。第三组则完全没有受到电击。过了一会儿，所有的狗都被关进一个大箱子，箱子边上有着很矮的栏杆，接着开始进行轻微电击。第一组（曾经被电击，但学会了操纵开关停止电流的狗）和第三组（没有被电击过的狗）很快跳出了栏杆，第二组（之前无法停止遭受电击的狗）则只是在原地哀号。这些狗就是"习得性无助"的受害者。

在一个类似的实验里，塞里格曼让两组人听噪音。第一组人有停止噪音的方法，而第二组人则无法阻止噪音。过些时候他再次向两组人施放噪音，这一次大家都有阻止噪音的方法，但先前实验中的第二组人却无动于衷，原因就是"习得性无助"。塞里格曼的实验证明了人非常容易陷入"习得性无助"。所以当失败或无助时，我们经常会选择放弃，甚至感到绝望。

蒂姆做"忙碌奔波型"不快乐，做"享乐主义型"也不开心，因为找不到出路，他决定向命运投降，听天由命。但他的孩子们呢？蒂姆并不希望自己的孩子也陷入"沉寂的绝望"，可他又不知道该如何教育子女。教他们为了成功去放弃眼前的幸福吗？不行，忙碌奔波太痛苦了。教他们为了快乐去过无忧的日子吗？也不行，享乐主义只会带来空虚。蒂姆陷入了前所未有的痛苦。

反思：

回想一下，某件事情或是一段时期中，你是否曾经也感到堕入虚无主义的漩涡，除了眼前的不幸，看不到任何希望。如果当时可以从旁观者的角度可以给自己一些建议的话，会是什么样的建议呢？

"忙碌奔波型"、"享乐主义型"和"虚无主义型"犯了同一种错误,那就是坚持自己对于幸福的偏见。"忙碌奔波型"信奉的是"到达谬论",即认为只有在达成一个有价值的目标后,才可以得到幸福。"享乐主义型"的问题在于"快感至上",认为只要不断地享受短暂的快乐,就算没有未来的目标,也可以得到幸福。至于"虚无主义型"本身就是一种谬论,对现实状况的完全误读,认为无论自己做什么都无法得到幸福。他们最可怜,因为他们连前两种谬论中有限的快乐都感受不到。

幸福型——永远可以更幸福

我在哈佛大学的一个学生在接到一家著名公司的聘请后曾经来找我。她说并不喜欢那份工作,但是又难以拒绝。虽然别的公司有她喜欢的工作,但是没有一家的薪水可与这家公司相比。她问我,要到什么时候她才能开始活得开心,而不用担心未来。我告诉她,不要问自己"何时才能快乐",而要问"如何才能快乐"。

当然,眼前的和未来的幸福是可以平衡的,比如,一个热爱学习的学生,可以在学习的过程中享受创造的快乐,而这快乐也可以帮助他取得好成绩,助其获得未来的幸福。谈恋爱也一样,两人共同享受着爱情的美好,并帮助彼此的成长与发展。还有当我们做自己喜爱的事业时——无论是商

业、医学，还是艺术——我们一样可以在享受的过程中取得
事业的进步。

但有一点要切记：如果企图永远幸福，可能只会导致失
败与失望。并不是每一件事都可以同时为我们带来现在与未
来的幸福。有些时候，我们确实需要牺牲一点快乐，去换取
目标的实现，有些琐事是无法避免的。就像学习、攒钱、努
力工作都不容易，但确实可以带来某种程度的长期成果。重
点是，就算当我们必须得牺牲一些眼前的快乐时，也不要忘
记在生活的方方面面，仍然不断地去发掘那些能为我们带来
即时的和未来的幸福感的行动。

其实，享乐主义也有它一定的好处，只要它不带来任何
负面的结果，有时把注意力放在眼前的幸福，可以让自己放
松，产生焕然一新的感觉。只要是适度的，有时放松一下自
己，什么也不想，投入一下自己的爱好，可以让我们更幸福。

反思：

回想一下，在某一件或两件事情中，你是否曾同时体会
到当下和未来的幸福。

"忙碌奔波型"的错误观念在于，只有成功本身可以为
他们带来快乐，他们感觉不到过程的重要性。"享乐主义
型"则错误地认为，只有过程是重要的。"虚无主义型"同

时放弃了过程和结果，他们对生活已经麻木了。"忙碌奔波型"是未来的奴隶，"享乐主义型"是现在的奴隶，而"虚无主义型"则是过去的奴隶。

真正的持续的幸福感，需要我们为了一个有意义的目标而去快乐地努力与奋斗。幸福不是拼命爬到山顶，也不是在山下漫无目的游逛；幸福是向山顶攀登过程中的种种经历和感受。

练习

四个象限的特别日志

一些针对日志的研究表明，把正面和负面的经历都写下来，可以提高我们的身心健康水平①。

连续四天，每天用五分钟的时间，写下你在四种象限里的经历，无论只是一件事，或是人生中的某一段时期。写下你曾经是"忙碌奔波型"、"享乐主义型"以及"虚无主义

---

① 此练习采自 Pennebaker, J.W. （1997）的著作《敞开你的心房》
（Opening Up），The Guilford Press，以及 Burton, C.M. & King, L.A.
(2004)的作品。The Health Benefits Of Writing About Intensely Positive
Experiences. Journal of Research in Personality, 38, 150-163. 除了
Pennebaker 的《敞开你的心房》之外，一些其他有帮助的书籍是 Ira
Progoff 的《日记工作坊》（At a Journal Workshop）以及 Karen Horner
的《自我分析》（Self Analysis）。

型"时期的经历。在第四天时写下你处于幸福型时期的经历。如果你对于其中某个象限特别感兴趣，就多写一点，但每天的内容不要超过一个象限的范围。也不要担心文字是否通顺优美，只管去写。要记得，写下你在当时的和现在的感受、你那时的行为以及你当时和现在的想法①。

这里对每个象限的内容都有一些指导：

忙碌奔波型：写下你人生中忙碌奔波的经历。为什么曾经是那样？你是否在其中受益？你付出的代价又是什么？

享乐主义型：解释一下你只顾享乐的时刻或经历。你是否在其中得到了很多？你损失的又是什么？

虚无主义型：写下有关那个特别痛苦时刻的经历，或者那个你感到绝望、无助的时刻，并描述你当时以及现在对它最深刻的感受和想法。

幸福型：描述一下你人生中某个特别幸福的时期或者经历。用你的想象力，让自己再次回到那个时候，重温一下当时的感受，并写下来。

无论你写什么，都是写给自己看的。如果写完后你愿意和他人分享当然也可以，但在写的时候请不要抑制任何的念头和想法，你越勇敢地表达自己，你就会从中更多地受益。

"虚无主义"和"幸福"两个象限上，至少再多做两次

---

① 这些是心理学的 ABC—A 情感（你的情绪），B 行为（你所做的）和 C 认知（你的想法）。想要保持改变的话，最好结合以上三项。

练习。重复该练习时，你可以写同样或不同的内容。然后
定期地回顾自己所写的内容——可以是三个月，一年，甚至
两年。

幸福冥想——释放积极情绪

正如赫伯特·本森（Herbert Benson）、乔恩·卡巴特-津
恩（Jon Kabat-Zinn）和理查德·戴维森（Richard Davidson）
的研究报告所指出，有规律的冥想可以为生活带来深刻的改
变。但冥想也不是适用于所有人，如果这个练习，或是书中
任何练习让你感到不舒适，就把它省略掉，然后直接进行到
下一步。

首先找一个安静的地方。找张椅子，或是盘腿坐在地
上。确定自己处于舒适的姿势，但背部和颈部要挺直。至于
要不要闭上眼睛可以由自己决定。

深呼吸，试着去进入一个平静的心态，每次吸气都要吸
到底，在呼出时，要通过口或鼻慢慢地呼出。

用意念扫描你的全身。如果有任何部位感到紧张，将你
的呼吸指向那里，并放松这个部位。然后，至少保持 5 分钟
（或者最长 20 分钟）专注你深缓的呼吸。如果你的注意力游
移，只要把它简单而自然地重新带回你的呼吸上。

继续深呼吸，把积极情绪灌注全身。你可以想象自己在
一个非常开心的状况里，好像是和爱人共处或是在工作上得

心应手的时候。用 30 秒到 5 分钟的时间，让这种积极情绪包围自己，在体内流动。经常做这个练习以后，你甚至不需要再去想象什么情景，你可以只想着幸福、宁静、或是欢愉这样的字眼，就把积极力量引发出来了。

把冥想变成规律。每天早上起来、午餐时间、或是午后，用 10 分钟到 1 小时的时间来做冥想。在冥想成为日常规律后，你可能只需要 1~2 分钟的时间就够了。每当你感到有压力、愤怒或是想开心一点的时候，只需要做几次深呼吸，就可以释放出积极的情绪。安静的地方是最理想的，但坐火车、坐出租车或是在办公室里其实都可以的。

第 3 章

解析幸福——幸福的人不必当总统或亿万富翁

一个幸福的人也会有情绪上的起伏，但会在整体上保持一种积极人生态度。

为什么追求幸福？
——幸福在所有目标中是至高无上的

我们都熟悉孩子们那种无止境的好奇心：为什么会下雨？水是怎么到天上去的？水为什么会变成气？为什么云不会掉下来？其实，有没有得到答案对他们来说并不是最重要的，当他们对身边的事物产生好奇心时，他会一直地追问下去。获取答案不是他们的最终目的，他们所看重的是那句"为什么"。

　　但有一个问题可以让所有人停止追问"为什么",这个问题就是:"为什么要追求幸福?"当问到我们想要什么时,除了幸福之外,我们可以对每一个答案产生更多的"为什么"。比如,为什么要练得这么辛苦?为什么要赢得冠军?为什么要致富与成名?为什么要买好车、大房子和游艇?

　　当问题转为"为什么要追求幸福"时,答案其实是简单而肯定的。我们追求幸福,因为幸福是生命的一种基本需要。当答案是"因为这样可以使我幸福"时,没有任何说法可以去挑战它的正确性与终极性。幸福在所有目标中是至高无上的,其他所有目标的终点都只是去往幸福的起点。

　　英国哲学家大卫·休谟(David Humes)曾说过:"人类刻苦勤勉的终点就是获得幸福,因此才有了艺术创作、科学发明、法律制定,以及社会的变革。"财富、声望、知名度与其他目标都不能和幸福相比,无论是在物质上还是名望上的追求,其最终都是追求幸福的手段。

反思:

　　以不停地追问"为什么"来反思自己所追求的东西,可以是大房子、升职或是任何其他的目标,看看要问多少个"为什么"才能把你带到对幸福的追求上。

　　对于那些不认为幸福是最终目标的人,我想告诉他们的是，科学研究已经证明了一点，那就是幸福确实可以帮助人们在生活的方方面面取得更大的成功。在一个对"幸福感"研究的综述中，积极心理学家桑娅·吕波密斯基（Sonya Lyubomirsky）、劳拉·金（Laura King），以及艾德·狄纳（Ed Diener）提出："幸福的人群在生活的各种层面上都非常的成功，包括婚姻、友谊、收入、工作表现以及健康。"报告也指出了幸福和成功存在强烈的相互作用：成功（无论是工作还是感情方面）可以带来幸福，而幸福本身也可以带来更多的成功（见图 3-1）。

幸福

成功

图 3-1　成功与幸福的关系

在其他条件一样时，幸福的人有着更好的人际关系，在工作上表现更好，活得更好、更长久。幸福是值得去追求的，无论作为目标还是达到目标的方法。

幸福是……

当我们以为孩子对答案已经满足时，他们总是还有新的想法。从问不完的"为什么"转到问不完的"是什么"和无穷无尽的"怎么样"。"幸福是什么"和"如何才能幸福"这类问题需要详尽的解释。

我认为幸福的定义应该是"快乐与意义的结合"①。真正快乐的人,会在自己觉得有意义的生活方式里享受它的点点滴滴。这种解释绝不仅仅限于生命里的某些时刻,而是人生的全过程。即使有时经历痛苦的感受,人在总体上仍然可以是幸福的。

我们可以把这个解释与"幸福型"相连:快乐代表现在的美好时光,属于当前的利益;意义则来自于目的,一种未来的利益(见图3-2)。

幸福

快乐　　　　　　　　意义
(当前利益)　　　　　(未来利益)

图3-2　快乐、意义与幸福

快乐——满意生活的先决条件

感情在我们所有的追求中扮演着一个关键的角色,包括我们对幸福的追求。很难想象一个缺乏感情的生命是什么样

---

① 在《真正的幸福》(*Authentic Happiness*)一书中,马丁·塞里格曼(Martin Seligman)解释了幸福的三个成分:意义、快乐与投入。

子。假设有一个机器人，除了没有感情之外，和人类一模一样，想法与行为亦无二致。它可以研究深奥的哲学，也可以推演复杂的逻辑，甚至还懂得建筑工程。

虽然这个机器人精细无比，但却没有表达能力。最基本的表达同样需要感情，这恰恰是它所缺乏的。机器人感觉不到食物的美味或是想去吃东西的需要，它也感觉不到挨饿的痛苦或是任何满足感。它不会去找吃的，但它的结构却和人类一样，所以它很快就会饿死。

现在，让我们来改编一下机器人的程序，让它学会吃喝。虽然它现在可以生存了，但仍没有表达的欲望，声望、财富和爱情等对它而言仍然毫无意义。

感情引发行动，它赋予我们行为上的动机。我们的语言就是一种证明——感情、行为与动机都密切地关联在一起。在拉丁文里，MOVERE（MOTION/动作）代表动，前面加E 的话则代表离去。动机（MOTIVATION）这个字来自于目的（MOTIVE），它来自于拉丁语的 MOTIVUM，其意思为动作的理由。感情把我们带离没有欲望的世界，给了我们一种动机，促使我们行动。

神经病学家安东尼奥·戴姆西奥（Antonio Damsio）在记录他的一个切除脑瘤的病人的时候，提供了一个情绪与动机关系的真实案例。手术后，这名叫埃利奥特（Eliot）的病人的认知能力——记忆、数学能力、感性知觉以及语言能力都没问题。但是在手术中，埃利奥特的情感思考能力受到了损害。这时，埃利奥特的情况和之前所说的机器人相似，他有着和其他人一样的生理基础，认知功能也没有差异，但其"感受和情感"系统却受到了损害。

埃利奥特的生活从此发生了巨大的变化。在手术前，他是个成功的律师，拥有幸福的婚姻生活，手术后，埃利奥特的"理智"虽然没有任何变化，但是他的行为让周围的所有人都无法接受，他的妻子离开了他，他也失去了工作，而且很长时间内无法找到新的工作。最让人震惊的是，他对这一切都无动于衷，包括他的人际关系和职业。

如果我们丧失感情，并因此失去行为的动机，我们将不再对生活心存任何渴望，我们将对自己的行为与想法及其后果漠不关心。感情是动机的来源，它在我们追求幸福的过程中扮演了一个非常重要的角色。

但是，光有感情是不够的。如果要幸福，我们就必须体验积极的情绪或情感，因为快乐是满意生活的先决条件。正如心理学家纳撒尼尔·布兰登（Nathaniel Branden）所说："快乐不是奢侈品，而是一种深层次的心理需要。"在完全没有快乐且频繁感受痛苦的生活中，几乎没有幸福可言。

当我提到快乐的时候，我并不是指持续的情绪高涨的状态，我们都会经历情绪上的起伏，虽然生命中不可避免地会有悲伤的情绪，诸如失败或失去的时候，但我们依然可以活得幸福。事实上，期盼无时无刻的快乐只会带来失望和不满，并最终导致负面情绪的产生。幸福并不需要一直高涨的情绪，也不是完全没有负面情绪①。

一个幸福的人也会有情绪上的起伏，但会在整体上保持一种积极人生态度。他经常被积极的情绪所推动着，如欢乐和爱，很少被愤怒或内疚这些负面情绪所控制。快乐是常态，而痛苦都是小插曲。要想获得真正的幸福，我们必须明白无论我们遇到怎样的悲伤、考验还是波折，我们都应该为活着本身而感到由衷的快乐。

反思：

从小事情开始，想象一下那些带给你快乐的事情。

是否仅是情感愉悦的生活就可以让人满足了呢？那么吸毒的人呢？还有那些整天躺在沙滩上晒太阳的人呢？他们真的幸福吗？答案是否定的，积极的情绪体验是幸福的必要但非充分条件。

意义——生命的喜悦，真我的呼唤

哲学家罗伯特·诺齐克（Rober Nozick）在《无政府主

---

① 在本书第 11 章的第三冥想中，我详细说明了情绪高低与基本幸福感的不同。

义、国家和乌托邦》 (Anarchy, State and Utopia) 中描述了一个假想的实验，帮助我们区分和分辨幸福以及纵欲带来的快乐。让我们想象有这样一部机器，可以让我们感到"写作一首伟大的诗篇，实现世界和平或者爱人并被人爱"的感受，或者任何我们期望的快感。这架机器可以让我们感受到真实的爱的感觉，而且我们完全不会感到是机器在工作，就像是真的一样。这里所要问的是：如果可以的话，我们会不会选择一生都使用这部机器？另外一种问法是：如果一辈子都靠着这部机器，我们会不会有真正的幸福？

大部分的人都不会去选择机器。原因很简单，因为我们所关心的并不只是我们内在的感受。很少有人认为只有自己的感觉才重要。除了想体验快乐外，还希望周围环境与我们的感受是一致的。所以幸福绝不仅仅是愉悦的情绪体验。

不管是通过机器还是通过毒品来逃避情感，都是生活在谎言中。在机器所能提供虚假的缔造世界和平的成就感，和简简单单但却真实地帮助他人的感觉两者中，我相信大部分人都会选择后者。就好像有一个内在的机制告诉我们：幸福不只是快感，我们需要这愉悦感的来源是有意义的。我们要证实我们的行为确实能够改变世界，而不只是主观感觉如此。

就感情上来说，人类和动物并无太大的区别，像黑猩猩这种智商比较高的动物，它们的感情与人类其实是很接近的。如果没有感情的话（对动物来说可能用"感觉"会比较合适），我们将会丧失所有的动力，生命将无法维持下去。在没有感情或感觉的情况下，我们就会像那机器人一样将变得麻木。

我们在情绪的感知能力上与动物类似，但有本质的不同。比如人类可以反思情感产生的原因，这是与其他动物的巨大差异。我们有能力去反思我们的感觉、想法以及行为，我们有能力清楚地感知我们的意识和经历。

人类和动物的另一区别是，人类是有灵性的。在牛津英文辞典里，称灵性为"真切的感受到事件的意义"。动物无法去过有灵性的生活，它们行为的意义只限于追求满足和逃避痛苦。

当想到有意义的生活时，我们经常谈到目标感，却忽略目标感其实比设定目标更重要。当然，有目标或者实现目标并不一定保证我们能感受到生存的意义。我们真正需要的，是那些让我们从内心感到有意义的目标。

我们可以设置不同的目标，比如得到好成绩、买大房子，当这一切实现后我们仍然可能感到空虚。要过真正有意义的生活，其目标必须是自发的，它是为了实现自我存在的意义，而不是为了去满足社会标准，或是迎合他人的期望。当我们有这种目标感时，那种感觉就像是听到了"真我的呼唤"，即使命感。就像萧伯纳（George Bernard Shaw）所说，"这才是生命的喜悦，那种为了源自真我的目标而奋斗的感觉。"

不同的人会在不同的事情里找到意义。"真我的呼唤"随时都有可能出现，创业、做义工、抚养子女、行医，甚至做家具。重要的是，我们选择目标时必须要确定它符合自身的价值观以及爱好，而不是为了迎合外界的期望。一个在工作中找到意义与快乐的投资家，一个出于正确动机的人，绝对要比一个心不在焉的和尚要高尚和有意义得多。

理想主义和现实主义——心动并行动

记得有一次我问一个朋友，他内心的呼唤是什么？他说，在他对生命的解释里并没有什么使命或者更高的目标。他说："我不是理想主义者，我只相信现实。"

现实主义又可称为实用主义，被认为是脚踏实地。理想主义则常常被认为是梦想家，他们把目光放在远处的地平线来思考自己的使命和生命的目的。

当我们比较这两种类型时，如果我们认为理想主义不实际或是脱轨时，我们已经产生了一种错误的分裂感。其实，理想主义的深层根本就是现实主义，因为理想主义的想法完全符合人性的自然。人们对意义的追求是绝对的。如果没有更高的目的，或使命感，或理想，我们就无法发挥全部的潜能去追求幸福。当然，我不是鼓励大家只心动，而不行动（两者都重要），但事实上，多数的现实主义者，特别是那些

"忙碌奔波型"的人，都忽视了一个极重要的事实：理想主义者本身就是现实的。

理想主义的真谛在于让一个更高的目标去指引生命。当然除了一个比较宽泛的意义外，我们还需要找出这些意义具体的内涵。比方说，如果为了创造一个幸福的家庭或者解放受压迫的人们这一目标，我们需要多花点时间与我们的孩子共进午餐，或者参加游行示威。只靠远大的理想是无法长时间地支撑我们的行动的，我们需要为下周、明天或者今天找出富有意义的事情。

🦪 反思：

想一下那些对你有意义的事，什么可以为你带来使命感？你觉得什么样的日常行为是有意义的？

如法国哲学家蒙田（Michel de Montaigne）所说，"一个有使命感的生命是人类最伟大的作品"。一个明确的目标可以指引我们的方向，并给我们的生命赋予意义——生命不再是支离破碎的片段，而变成了一个有机的整体。同样一个不可或缺的目标，就像协调每个音符的交响乐主题，让我们的行动更加协调一致。单个的音符也许没有特别的意义，当它一旦成为交响乐的一部分，就显示出无限的动人美妙。

潜力与幸福——内在力量改变世界

当想到对自己最有意义的生活时，我们需要同时考虑如何充分地发挥自身的潜力。奶牛可以在牧场里开心过一辈子，人们却不能仅仅满足自己生理上的需要。我们内在的力量要我们做得更多，充分发挥我们的能力。哲学家伯兰特·罗素（Bertrand Russell）说过："真正令人满意的幸福总是伴随着充分发挥自身的才能来改变世界。"

但这并不代表具备领袖才能的人必须成为总统才能幸福，或是具备商业天赋的人必须得成为亿万富翁才能快乐。总统或富翁只是一种潜力表面的证明，我所说的是潜力的内在标准。一个有潜力做总统的人大可以开开心心地做一个古梵文学者，那个有亿万富翁潜力的人也可以高兴地去当个记者。只要他们从内心感到工作的挑战性，感到潜力得以充分的发挥就好①。

🌸 反思：

什么样的事可以挑战并发挥你的潜力？

成功与幸福——幸福的人往往取得更大成就

有些人常怀疑，舍弃地位和财富而注重追求快乐和意义，会不会导致以牺牲成功为代价？如果好成绩和好学校不

————————————

① 在第 6 章里，我再次强调了挑战性的重要。

再是动力，学生们会不会丧失对学业的兴趣呢？或者，如果升级和加薪已经不再吸引员工的话，他们会不会因此而不再那么努力了呢？

我在努力向"幸福型"转变的过程中，也经常考虑它是否会影响我的成功。"无苦，无获"曾经是我的座右铭，它帮助我得到了很多成功，我曾为我的决定担心，担心我会中途放弃这一目标，担心我会怀念"忙碌奔波型"的生活。但实际上接下来所发生的一切却完全相反。

从"忙碌奔波型"转变为"幸福型"追求者，并不代表做得更少或是热诚减少，它的意义在于将正确的事情做得更好，即那些对现在和未来都有益处的事情。同样，从"享乐主义型"转变成"幸福型"，也不需要减少快乐，不同的是，学会去适当的享乐而不是无止境地放纵。幸福的人不会接受"无苦，无获"的观点，因为他不但享受着他所做的一切，同时也在向着目标而努力，而他们往往取得了更大的成就。

意义和快乐的重要性
——幸福不是速食面，也不是免疫针

只有快乐不足以达到幸福境界，同样，只有目标也不够。首先，无论目标再怎么伟大，长期坚持做一件事都是非常困难的，如果在过程中没有快乐，我们便难以持久地坚持目标。对光明未来的预见通常只能在短时间内维持我们的动

机。其次，有些人也许可以忍受没有及时满足的痛苦，就像"忙碌奔波型"的人一样，但他们一定不是幸福的。

在《追寻生命的意义》（*Man's Search for Meaning*）一书中，维克多·弗兰克（Viktor Frankl）讨论了大屠杀生还者在生命里找寻意义的过程。虽然他们在集中营里经历的每一天都是惨无人道的生活，身心遭受了巨大的伤害，但其中有些人却在那里找到了生命的意义，找到了目标感。他们的目标包括有一天能与亲人重逢，有些人则想将来要把这段历史公布于众。当然，据此推断出他们在集中营里是幸福的，显然是十分荒谬的。因为幸福不止是有意义。我们需要意义，也需要快乐；我们需要现在的获益，以及未来的获益。

我对幸福的理论阐述，主要基于弗洛伊德（Freud）和维克多·弗兰克的快乐原则。其中弗洛伊德认为追求快乐是人类的本能。弗兰克则认为，人类意志力的原动力来自于意义，而不是快乐。他说："人类最大的动力，来自于对生命意义的追求。"在对幸福的追寻中，他们各说对了一部分。如果想要一个充实而幸福生活，就必须去追求快乐和意义两种价值①。

---

① 在对生命中积极情感及生命意义的研究中，Laura King 和她的同事们证实了，积极情绪可使人们更多的感受到生命是有意义的。King, L.A., Hicks, J.A., Krull, J., and Del Gaiso, A.K.（2006）.Positive Affect and the Experience of Meaning in Life.Journal of Personality and Social Psychology，90，179-196.

美国人经常因为过分痴迷于有关幸福的一切而受到批评：提供简易解决方案的励志书籍，介绍避免劳苦人生的秘诀，此类书籍的销量令人震惊；精神科医生一碰到情绪失调的病人就会开处方药。当然，这类批评有一定的合理性，但是这种痴迷，其实不是对幸福的痴迷，而仅是对快乐的痴迷。

在一些简易的自助方法里，经常会忽略长期的幸福以及我们对意义的追求。真正的幸福不代表对不安的情绪或生活的困难免疫，药物治疗和励志小册子则在根本上避开了这些问题。幸福的人一样要去面对困难，克服生活里的种种障碍，像弗兰克所说的："人类需要的不是一个没有挑战的世界，而是一个值得他去奋斗的目标。我们需要的不是免除麻烦，而是发挥我们真正的潜力。"随着现在精神病学的进展，越来越多的人开始接受药物治疗。当然，肯定有很多的病案确实需要药物治疗，但我担忧的是，药物治疗如此的方便，以致随着症状消失的也许还会有我们对意义和快乐的追求。

还有，经历困难可以让我们更珍惜快乐，不再认为快乐是理所当然的，同时对生命中大大小小的欢乐表示感激。对生活心存感激本身也是生命意义和快乐的重要来源。

意义和快乐，短期的利益和长期的利益可以相互促进。当我们对自己的行为心存使命感的时候，我们会获得更大的快乐；而在我们从事的事情上找寻快乐，也可以加深其意义。

🌳 **反思：**

回想一下你曾经遇到的困难，你从中学到了什么？你在哪方面得到了成长？

数量与质量——生命并不长，别再赶时间了

人们有着不同的喜好，或对同样喜好有不同的爱好程度。打个比方，写书对我来说既快乐又有意义，但如果写作一天超过三小时的话，就变得乏味了。每星期看两部电影可以让我快乐，但如果每天要我看四小时大屏幕的话，可就受不了了。就算是有意义和快乐的事，也不能不停地做。

还记得"汉堡模型"吗？现在来看"千层饼模型"——每个人对享受都有着不同的看法和方法。千层饼是我的最爱，每次去看父母的时候，妈妈都会准备很多，我会把它们一扫而光，但这并不表示我要每天每餐都吃千层饼。同样的道理也可以应用在其他事情上，比如写作和看电影，以及我喜爱的人。虽然我的家人对我来说是最重要的，但每天和他们相处八小时并不代表是最幸福的事；相反，有时不和他们在一起，也不代表我就不爱他们了。虽然和朋友相聚既快乐也有意义，但我还是需要独处的时间。选择正确的活动并合理地安排时间，可以大大提高生活的质量。

增强幸福感最好的方法就是尝试、汲取经验，同时关注

内在的感受。大多数人都忘了问自己最重要的问题,只因为我们太忙了。就像梭罗(Thoreau)所说,"生命并不长,别再赶时间了",如果老是马不停蹄地前进,我们等于只简单地对每日的生活作出反应,没有给自己时间去创造属于自己的幸福。

亚伯拉罕·马斯洛(Abraham Maslow)坚信:"人如果不能时刻倾听自己心声,就无法明智选择人生的道路。"现在我们花些时间,问自己一些可以帮助我们做出人生选择的问题:我做的事情对我有意义吗?它们能给我带来乐趣么?我的内心是否鼓励我去做出不同的尝试呢?我的内心是不是提醒我需要彻底改变目前的生活?我们必须留心地去听,倾听我们的内心和头脑——情感和理智。

练习

人生路线图,调谐幸福频率

虽然内心和思想都很难度量,但我们还是可以对自己的幸福作出评估,并思考如何才能变得更幸福。我们可以从记录每天的事项开始,写下它们带给我们的快乐和意义。

每天用一点时间记录下当天的生活,可以帮助我们找到自己的模式。比如,我们可能会发现,我们的大部分时间都用在那些获益在未来但我们并不享受的事情上,或是做了太多既没有意义又不快乐的事。据此，我们就可以为自己的生活作出更好的规划。

虽然有一些可以帮助人们获得美好生活的基本原则（比如说找寻快乐与意义），但绝对没有任何统一的方法。人类是很多元化的、复杂而各不相同的；每个人都是独特的，活在自己的世界里。通过记录自己的生活，我们可以超越那些基本原则，而看见自己独特的需要。

用一两个星期的时间，把自己的日常作息记录下来。在每天结束前，写下你是怎么使用时间的，从花五分钟回复电子邮件到看两小时的电视都可以。这个练习不需要特别精确的回忆，它所提供给你的仅是一个整体的回顾。

在每个星期结束时画出一个图表，上面包括你所做的事情，它们带来了多少意义和快乐，以及你所花的时间（你可以为它们评分，看看它们所带给你的快乐与意义。比如说-5分是最低分，而5分为最高分）。在所用时间旁边，注明你希望以后用更多还是较少的时间在这件事情上。如果希望用更多的时间就写个"+"，很多时间的话就写"++"，减少就用"-"，保持用"="。

这里是一个图表的例子：

活 动	意 义	快 乐	时 间
和家人相处	5	4	2.2 小时,++
工作上的会议	4	2	11 小时,=
看电视	2	3	8.5 小时,-

诚实的镜子——对没那么重要的事说"不"

在一张表格上写下对你最具意义和快乐的事。表格上可以包括家庭聚会、运动、听音乐，等等。

在每一项旁边写下你对其所付出的时间。无论有没有以上图表，都问一下自己：你的生活是否体现出了你最高的价值？你是否有和家人快乐的相处？每星期是否运动三次？有没有抽出时间欣赏音乐或去参加音乐会？

这个练习就像我们生活的镜子，可以帮助我们对自己保持诚实，在日常生活中体现自己的最高价值。更高的自我一致性可以带来更多的幸福感①。其实有很多我们知道对自己重要的事情，在"知"和"行"上出入很大，在做这个练习的时候，最好能和一个熟悉自己、关心自己的人一起完成，让他来帮助你更坦诚地面对自己的内心②。

在我们觉得有价值的事情上花多少时间，完全取决于个人的观点和可行性。比如家庭对我来说最重要，但并不代表

① 纳撒尼尔·布兰登讨论了正直在我们自尊心和幸福上的影响力。Branden, N.(1994). The Six Pillars of Self-Esteem. Bantam Books.

② 克里斯·阿吉里斯（Chris Argyris）的研究显示，人类在分辨他人所说的（他人所倡导的理论），以及他人实际上做的（他人所应用的理论）这方面的能力相当强，但在分辨自己的情况时就没这么清醒了。所以，在做这个练习时，如果能与一个熟人一起的话，相信会更有帮助。如克里斯·阿吉里斯（1976）的观点"人们所倡导的理论，只是人们声称的行动的基础。他们所应用的理论，才是基于其实际行动得出的规律。

要放弃自己的爱好而把所有的空闲时间都用来陪伴家人（和千层饼例子的道理一样）。对于一个需要做两份工作来维持生计的人，虽然他陪孩子的时间不多，但他却在生活中实现了他的最大价值。

通常，我们因为一些内在的或是外来的干扰而远离了我们的幸福生活，而这些事情往往是我们可以控制的，比如习惯、恐惧、他人的期望等。时间是如此稀缺而宝贵的资源，只有当我们学会开始向一些没那么重要的事情说"不"时，我们才能对那些最有意义和价值的事情说"是"。

经常去重复这个练习，因为深刻的改变不是一天两天的事，重要的是要把你的活动规律化、习惯化。在建立新习惯之外，可以尝试停止不良的习惯，比如说每天的某某时刻不可以做什么。比如上网，应设定一段不可以上网的时间。现代人花太多的时间在电脑上，每隔几分钟就检查电子邮箱，这实际上会严重地影响我们的工作效率和创造性，而最终影响我们的心情①。我们也可以去设定一些"无电话"与"无会议"的时间段，这样我们便可以更专心地去做眼前的事情，无论是工作还是与朋友聚会等等。

---

① 一项由惠普公司赞助、电信网络安全研究组（TNS）所做的研究说明了"被电话、电子邮件以及短信所干扰的员工，他们脑功能所受到的不良影响，甚至高过吸大麻的人。"相关资料可参考 2006 年 11 月 2 日的 http://edition.cnn.com/2005/WORLD/europe/04/22/text.iq/

第 4 章

至高财富——幸福是衡量一切的最高标准

幸福不是必须在我们个人及社会的问题都解决之后才能追求的东西。看看是否有一些你能做却没有做的事情可以给你带来幸福？

玛瓦·柯林斯（Marva Collins）是芝加哥市的一名教师。芝加哥市中心是毒品和犯罪的温床，一个毫无希望的地方。由于这种恶劣的环境，许多教师担心这里的儿童无法逃出那世代相传的贫困与绝望。

1975 年，柯林斯在她所居住的社区里成立了城西预备学校，她的学生大部分来自同一社区，他们都是由于品行恶劣或是成绩不良而被之前学校开除的学生。所以，可以说柯林斯办这个学校的目的是为帮助他们重新回到正常学校而做准备。城西预备学校，其实是他们流浪街头前的最后希望。

今天，这些曾被认为无法教育的学生已经在读莎士比亚、爱默生的著作，有人四年级就读到了欧里庇得斯（Euripides）的诗集。那些被看成是无药可救的孩子们几乎都上了大学。柯林斯的学生们证实了她的信念——每个学生都有成功的潜力——他们学会建立自信心，并能设想和实现自己充满希望的未来。

玛瓦·柯林斯成立学校时没有什么资金，开始时还用她自己的家作为教室。在后来的 20 年里，她在经济上不断挣扎，还曾数次面临学校倒闭的危机。今日，美国有很多州都成立了玛瓦·柯林斯学校；世界各地的教育家蜂拥前往芝加哥学习她的教育方式，受她的精神启发和鼓舞。

柯林斯的经历启示我们，幸福感才是人生至高的目标。柯林斯本来在一家数十亿资产的上市集团工作，至于为什么会选择教育工作，她在她的一个学生蒂法尼（Tiffany）身上找到了答案：

蒂法尼是一个有自闭症、不爱说话的孩子，一个被专家们认为无法去被爱、被教育的孩子。然而突然有一天，我长久以来的耐心、祷告、关爱和决心有了回报。蒂法尼对我说的第一句话是："我爱你，Ollins 太太。"她漏了我的姓氏 Collins 里的那个 C 字，但我当时唯一的感受是：光是那双小眼睛里的泪水就足以使我成为世上最富有的人。现在，蒂法尼开始学习数字、单词，开始与人交谈，最重要的是，那眼神里喜悦的神采，仿佛在说"我也是很特别的，我也可以学习"——这对我来说比什么都值钱。

对于另一个在城西学校改变命运的孩子，柯林斯写道："看着他眼里那种可以在未来照亮世界的光芒，我忽然感觉，那些为了资金问题而失眠的日子全都是值得的。"

玛瓦·柯林斯曾有极好的机会，她大可不必担心学校经费乃至倒闭这种问题。20 世纪 80 年代，里根和布什政府都曾邀请她出任教育部部长，面对如此高的荣耀和声望，她拒绝了，因为她相信，只有课堂才是她真正能创造出奇迹的地方。

柯林斯觉得自己是"世上最富有的女人"，觉得教学带给她的快乐是"任何钱财所买不到的"。对她而言，人生至高的财富是幸福，而不是钱财或声望。

🎐 反思：

对你而言，什么比金山更重要？

把幸福作为衡量一切的标准

当我们衡量商业成就时，我们的标准是钱。我们用钱去估计资产和债务、利润和亏损。在这一过程中，所有与金钱无关的都不会被考虑进去。当我们衡量商业成就时，金钱就是最高的财富。

人和事业一样，也有利润和亏损。但不同的是，衡量人生成就的标准既不是金钱，也不是知名度、命运或是权力。衡量人生成就的标准应该是幸福。

金钱和声望在幸福面前并没有固定的价值，但为什么金钱和声望的魔力如此之大呢？这是因为有些人认为它们可以带来幸福。金钱和声望本身是没有价值的，如果无法带来任何幸福，没有人会去追求它们。好比在商业中，资产只有能够换算成钱才有价值，声望和金钱都只是实现幸福的手段。

对某些人来说，把幸福作为至高财富和衡量标准，似乎有点戏剧性。举一个极端的例子，在100万现金和与一个好友交谈之间你会选择哪个？我们应该选择那个可以让自己更幸福的。如果谈话给你带来的快乐和意义甚至超过那100万，那我们就应该选择后者。因为以幸福作为衡量标准的话，后者更有价值。

将谈话与现金的价值进行比较，可能有点像把苹果和橘子进行比较。但是，我们可以通过把它们和幸福这一最终标准进行比较，决定哪一个会让我们更幸福，由此在这些似乎不相关的选择中作出判断。

在上面的选择中，如果只是因为我更享受与朋友谈话的感觉，所以金钱不算什么，这个理由并不充分。100万可以买许多东西，很有可能帮助你免除未来的烦恼。有了这些钱，你也可以从事许多你觉得有意义的事情，再不用为生活担忧。但是在仔细考虑后，如果真的发现和朋友谈话可以给你带来更多的快乐和意义的话，那它的价值就可能超过那100万。正如心理学家卡尔·荣格（Carl Jung）说的："有意义的事即使价值再小，也比无意义的事有价值。"

想象一下以下的情节：一个金星人走进一家地球人的商店，要买一件1000元的物品。他给老板两个选择，收1000元地球货币或是一枚金星币，而这个金星币在金星上的价值相当于地球上的100万元。老板想，我永远也不会去金星，而这个金星币在地球上也没有价值。这时，除非老板考虑其纪念收藏价值，否则他一定会选那1000元地球货币。

同样，我们的100万只有在至高财富的衡量标准里，才能达到其真正的价值。在商业中，用资产的现金价值来衡量公司；对人而言，幸福感应该是我们衡量人生成就的唯一标准，因为它是所有目标的最终目标。

财富与幸福——幸福"赚"不来

金钱除了可以提供食物和居所外（不是指鱼翅和城堡），只是一种实现目标的手段。有趣的是，我们经常搞不清楚目标和手段的区别，以牺牲幸福（目标）来换取金钱（手段）。

当社会上普遍认为财富的积累是人生目标的时候，我们很容易犯这类错误。并不是说赚钱或存钱是错误的，物质上的富有可以帮助个人甚至社会得到更多的幸福。金钱上的保障，可以让我们向不喜欢的工作说"不"，或是让我们不为账单烦恼。还有，赚钱的欲望可以成为积极的挑战，甚至给我们启发。但是，金钱本身并没有价值，而是因为它可以带来一些丰富的经历。物质本身并不能给生命带来意义或是精神上的财富。

研究显示，财富与幸福之间的关系不同于我们通常的认识。在不同文化背景下所做的幸福调查中，心理学家大卫·迈尔斯（David Myers）和他的同事们发现，幸福与财富之间的关联性非常低，唯一的例外是在一些极穷困的地区，在这些地区基本的生活条件都得不到满足。此外，还有报告指出，在过去的 50 年里，美国一代代人的富有程度越来越高，但幸福指数却没有什么变化。

诺贝尔经济学奖得主丹尼尔·卡尼曼（Daniel Kahneman）在过去几年里将注意力转到了有关幸福的研究。在他的研究中，卡尼曼和他的同事们几乎没有找到幸福和财富的必然联系。

大部分的人会认为高收入等于快乐，但事实上这个说法是极虚幻的。高收入的人对生活会比较满足，但不会因此而比其他人更幸福，他们甚至更容易紧张，也不太会去享受生活。收入对于生活的影响是短暂的。我们认为，人们之所以会过度地去宣扬收入就是幸福的标准，是因为他们只是用传统的视角衡量自己以及他人的生活。

令人惊讶的是，许多人在富有之后居然比在努力致富的过程中还要沮丧。"忙碌奔波型"的人认为，他们的行为可以为将来带来好处，这样想可以减少他们的负面情绪，然而一旦达到目标，发现所得到的无法使自己快乐时，他们就无法自拔了。这时，他们会充满了绝望，因为没有目标他们就失去了幸福的指望。

太多成功的人有着压力和烦恼的问题，他们甚至因此而酗酒或是吸毒。矛盾的是，成功反而使他们不开心。在成功之前他们可能也曾有不开心的日子，但他们一直相信，只要成功了，他们就会得到幸福，而当他们达到目的时才发现，原来所期望的根本就不存在。而在此时，他们感到自己的幻想（也是很多普通人的幻想）——物质和地位可以带来永久的幸福破灭了，而陷入"现在怎么办"的深谷。在发现他们所有的努力和牺牲并不能带来幸福后，他们一个个都掉进了"习得性无助"的深渊。他们接着成为"虚无主义型"的典型，相信世上再没有任何东西可以给自己带来快乐，于是就去找寻另外一些毁灭性的解除痛苦的方法。

既然财富无法使人幸福，为何还是令我们如此痴迷呢？

为什么获得财富可以超过寻找生命的意义呢？为什么我们以物质为标准作决定时可以这么自然，而以内心为标准的时候却这么困难呢？

从进化的角度看，有可能是人类远古历史影响了我们现在的行为。当人类还在原始时代时，更多的物质资源决定我们是否可以度过下一个严冬或是自然灾害，因此储存成为一种习惯。至今，很多未来已经相当有保障的人仍然在拼命储蓄。储蓄不再是为了生存，而仅仅是为了储蓄。我们不再为生活而储蓄，而是为储蓄而生活。

在决定和判断的过程中，人们通常也会将物质放在精神之前去考虑，主要原因是物质容易计算。我们习惯性地对物质作出评价，比如财富和声望，而不是难以衡量的情绪或意义。我们所羡慕的是物质上的东西。有钱人因为他们的财富被尊敬，就好像物质变成了用来衡量的唯一标准。学术界的人以出版量作为升职的标准。我们在每一个时期结束时会以物质上的东西来衡量我们的成果，例如我们"赚了"多少。就像劳伦斯·波特（Laurence G. Boldt）在《禅宗与生活的艺术》（*Zen and the Art of Making a Living*）里说的：社会教我们的道理就是物质至上，只在乎那些可以"数"得出来的东西。房子的价值可以用钱的数量衡量出来，而我们对家庭的爱却不行。莎士比亚的《哈姆雷特》在书店可能是 10 元一本，它给每个人所带来的价值却是无法用金钱衡量的。

🐚 反思：

你会不会因为过分在意财富或是名望，而影响到自己的幸福感呢？如果是，是如何影响的？

情感破产——幸福的大萧条

就在我们不断累积物质财富的时候，我们的"至高财富"却面临着破产的危机。就像公司可能破产一样，心灵也可能破产。有收入，公司才能维持，但前提是收入必须要超过支出。

在看待自己的生命时，可以把负面情绪当作支出，把正面情绪当作收入，当正面情绪多于负面情绪时，我们在幸福这一"至高财富"上就盈利了。长期的抑郁也可以被看成是一种情感破产——负面情绪的长度和强度完全压倒了正面情绪。

整个社会也有可能面临这种问题（情感大萧条）。如果个体的问题不断增长，焦虑和压力的问题越来越多，社会就会逐渐走向幸福的"大萧条"。就在科学和技术大迈进的同时，我们在感情和情绪的状况上却在不断倒退。

不幸的是，目前没有任何改善的迹象，将近1/3的美国青少年有抑郁的问题。美国、欧洲、澳洲以及亚洲的报告都指出，当今孩子的焦虑和抑郁问题比起以往任何一代都要高得多。这种趋势存在于各个文化背景以及经济阶层中。

在《情商》（*Emotional Intelligence*）一书里，作者丹尼尔·高尔曼（Daniel Goleman）指出，在 20 世纪里，每一代人心理压力指数都高过他们父母那一辈——不光是指沮丧，还有其他症状，诸如无精打采、颓废、自怨自艾及强烈的绝望感。高尔曼在这里提到的正是当今社会越来越普遍的情感破产症候。所谓强烈的绝望感（虚无主义）来自于人们对自身的绝望，觉得自己根本无法克服这种情绪状态。

如高尔曼所说，"焦虑的时代"曾是 20 世纪的别称，现在它已经开始转变为"哀伤的时代"。在《追寻生命的意义》一书中，维克多·弗兰克称，20 世纪里一个常见的现象，就是"存在的虚空"，并且指出他 25%的欧洲学生以及 60%的美国学生感到他们就活在这种"存在的虚空"中，一种从内心产生的空虚感。

今天的情况比弗兰克在 1950 年写书时更为严重，最近的一项研究证实了这一点。在 1968 年对美国刚入大学的新生所做的调查中，41%想赚大钱，83%想要追求有意义的生活。这个情况在 1997 年时倒过来了，75%选择赚大钱，而只有 41%想追求有意义的生活。越来越多的人将物质放在首位，越来越多的人感受不到幸福，社会整体所面临的情感破产危机就显得更加严重。

情感破产危机所带来的社会问题包括吸毒、酗酒以及宗教狂热。其实不难看出吸毒者的逻辑，生活乏味、压力大，而毒品可以帮助他们逃避现实。同样，在这种情况下，如果有人利用宗教力量蛊惑人们成为狂热分子去做疯狂的事也就不足为奇了。

幸福从来就不是奢侈品，也不是必须在我们个人及社会的问题都解决之后才能追求的东西。提升幸福感不仅能改善个人的生活质量，也能让世界成为一个更和平更美好的地方。

练 习

完形练习——发现你人生的真正答案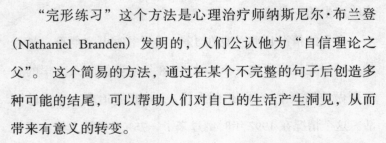

"完形练习"这个方法是心理治疗师纳斯尼尔·布兰登（Nathaniel Branden）发明的，人们公认他为"自信理论之父"。 这个简易的方法，通过在某个不完整的句子后创造多种可能的结尾，可以帮助人们对自己的生活产生洞见，从而带来有意义的转变。

这个练习有几项规则。首先，很快想出六个或更多不同的结尾，然后把它们填写在不完整句子的后面。你可以用写的方式，或是把自己的话录下来。要记住，答案是没有对错的，你的答案甚至会相互矛盾，请暂时把你的批判精神先放一边，事后再去反思。在写下了你的回答后，看看自己有没有从中学到了什么。你有可能需要多试几次才能发现它的功效。

如果你学到了什么新东西，记得要把它们付诸行动。虽然填写句子的练习是意识和潜意识共同参加的，但有意识思考将帮助你收获更多。

以下是一个练习举例：

如果我可以对我的生活多5%的觉察……

我将发现经常说"是"的代价

我将无法避免困难

我将更珍惜我的家人

我将更珍惜我的生命

生活有可能会变得更难

我将花更多的时间和家人在一起

我将会对我的员工好一点

以下是我从布兰登的范例中列出的几个需要完形的句子：

如果我可以对我的生活多5%的觉察……

让我开心的事情是……

如果我的生活可以增加5%的幸福感……

如果我更多地担负起对自己内心需要的责任……

如果我可以将与自己的内心的一致性提高5%……

如果我可以直接地说"是"或"不"……

如果我深呼吸，用心地去体会幸福的感觉……

我开始了解到……

重复地做几次这个练习——你可以连续两个星期天天练习，或是在接下来的六个月中每周一次。你可以一次做完，也可以分开来慢慢地做。如果有某一个主题让你产生了特别的共鸣，你也可以一直去重复它。

幸福地图——不要错过身边的幸福站点

看看上一章练习里的那个表格，根据你所收集的资料，去创造你觉得理想的一周。当你头脑中的想法越具体、越形象时，它们实现的可能性也会提高更多。信念，通常就是实现的预言。

如果你想和家人多相处一些，比如说每周八个小时，那么就把它写下来。如果你想要少看一点电视，就把你认为适当的长度写下来。包括其他所有你想做的事。这些事情越真实具体越好，因为太过于理想的事情，比如每周花 20 个小时看小说，可能会和你的实际生活冲突而难以执行。

是否有一些你能做却没有做的事情可以给你带来幸福？每周去看一次电影是否会带给你快乐？每周花四小时从事你的爱好，每周外出三次，能让你更幸福吗？

如果你的生活确实很忙碌而无法做太大的改变时，那就量力而行。那些"幸福强心剂"（即那些简短但可以带来目前和未来获益的事情）是你可以考虑去做的吗？如果每天早上必须乏味地坐一小时车去上班，试着在其中去找一些有意义和快乐的事，比如，听听音乐，或是在搭乘火车的时候静静地阅读。重点是，在你期望的改变上养成习惯。因为随着时间的流逝，我们的生活会发生这样或那样的改变。通常我会建议，定期去重复以上所有的练习，包括本书第 3 章的表格。注意自己的进展、变化，以及需要再加强的领域。

第5章

设定幸福目标——倾听心灵深处的声音

生命如此短暂,连做我们想做的事情都来不及,怎么能只用来做不得不做的事情呢?

在我 16 岁开始意识到追求幸福的重要性时,我所理解的真正幸福是我必须先到达一个无欲无求的境界——不再有需求与渴望,不再有使命与目标。因为我曾经渴望的目标(比如赢得冠军)不但没有带给我幸福,反而让我苦恼,甚至几乎精神崩溃。我用了几年的时间才发现,原来有目标并不是问题,关键是什么样的目标,以及那些目标在我生命中所扮演的角色。

时至今日我可以肯定地说,做一个幸福的人,必须要有一个明确的可以带来快乐和意义的目标，然后努力地去追求。但在开始探索如何去设定一个适当的目标前，让我们看看目标与成功的关系。

目标与成功——为自己的承诺付诸行动

从整体而言，有目标的人成功率要比没有目标的人大得多。具有挑战性的明确的目标（设定了时限和具体的成果）通常会带来更好的表现。设定目标就是用语言给自己一种承诺，而承诺本身会给我们带来更好的未来。

心理学已经证明了目标和成功之间的关系，这一点也已经被我们自身的经验所反复证明过。在英语的语源学里，"concept"（概念）和"conceive"（构想）的关系并非偶然。通过概念，通过语言，我们才能有所构思，新的真相才能显露。在希伯来语的《圣经》里，上帝用语言创造了世界，他说让光明照耀这块大地吧，然后就有了阳光。《约翰书》中开始的部分是："原初，我们有的只是语言。"同样美国也是以宣言的方式建国，通过语言表达了国家的目标、任务和价值观。

目标向我们及他人传达了一种克服困难的信念。把你的生命想象为一个旅程，你背着背包前进，忽然，出现了一堵墙阻挡了你的去路，你该怎么办？你是转身避开，还是把你的背包扔到墙的另一头，然后想办法去穿过、绕过或是翻过它？

1879 年，托马斯·爱迪生（Thomas Edison）宣布，他会在年底公开展示电灯。事实上他之前的实验都是失败的，但他的做法就好像把背包扔到了墙的另一头，虽然他还面临很多的问题，然而在那年的最后一天，他真的成功了。1962 年，肯尼迪总统向全世界宣布，美国在 20 世纪 60 年代末，将会第一次把人类送上月球，当时甚至连一些太空船所需的材料都没有发明，技术方面更是完全不到位。结果他把自己以及美国宇航局推到了挑战的面前。"没有退路"让人类又一次取得了成功。虽然口头上的承诺不一定保证目标实现，但它确实可以加强成功的几率。

威廉·H.默瑞（William H. Murray），一个苏格兰登山家，在他的著作《苏格兰人的喜玛拉雅探险》（*The Scottish Himalayan Expedition*）一书中，提到了把背包扔过去的好处：

人在下决心之前容易犯犹豫不决的毛病，容易退缩，效率降低。一个重要的事实是，当你真正决定兑现承诺的时候，命运也会开始帮助你。如果不清楚这个事实，再好的想法与计划也将付诸东流。当开始为自己的承诺付诸行动时，人们会发现，他们的运气变得出奇的好。我相当欣赏歌德（Goethe）的一句话："无论你能做什么，或是你想做什么，行动吧！勇气本身就包含了智慧、魔力和力量。"

一个目标，一个明确的承诺，可以集中我们的注意力，帮助我们找到达到目标的路线。目标可以简单到买电脑，或复杂到攀登珠穆朗玛峰。心理学家告诉我们，信念是会自我实现的预言，而当我们下定决心时，当我们把背包扔过墙头时，我们事实上已经相信了自己，相信了自身的能力。我们就可以去创造现实，而不只是对现实作出反应。

🎈 反思：

回想一下，你是否曾经承诺过做某一件事？你当时承诺的后果是什么？你目前对自己的承诺是什么？

目标与幸福——一个不等式

实验研究和经验性的证据已经清楚地显示出目标和成功的关系，而目标和幸福的关系则不是那么明显。传统的观点告诉我们，幸福就是达到目标，但在几十年的研究后这种说法已经受到了严重的挑战：虽然在到达目标之后会感到满足，但无法到达时容易失望，而这些感觉其实都很短暂。

心理学家菲利普·布里克曼（Philip Brickman）及其同事的研究表明，彩票得主在短短一个月的时间里，就已经回到了他们之前的幸福感水平——如果他们在中奖前是不快乐的，那他们就会回到不快乐的状态。同样的，因为车祸而残疾的人，在短短一年内就可以回到车祸前的快乐心态。

心理学家丹尼尔·吉尔伯特（Daniel Gilbert）继续拓展了此项研究，他发现人类对于未来情绪的预知能力是非常有限的。我们常会认为一栋新房子、一部好车、职位晋升或是加薪等就可以使我们幸福，事实上，这些事情只能短暂地影响我们的整体幸福感。负面经历的影响也是一样的，如感情生活失败的痛苦、失业等等，而我们也会很快地回到之前的心态。

以上的研究除了挑战我们传统的认识外，也带来了两方面的消息：好消息是我们不再那么害怕失败，坏消息则是成功似乎也变得不再那么重要了。而如果真是这样，那么我们就不需要再努力实现目标或追求幸福了。那样我们的生活就成了比尔·默里（Bill Murray）在《土拨鼠日》那部电影中的生活，或者就像柯林斯王（西西弗斯）劳而无功、不停地爬山的遭遇——不停地回到原点。

我们是不是只能选择继续去相信自己的幻觉（达到目标时就能使自己幸福），或者去面对残酷的现实（无论我们怎么做，都无法获得真正的幸福）？很幸运的是，我们还有第三个选择。之前的问题在于，无论他们是"虚无主义"的名人，还是满怀抱负的无名小卒，他们的方向都错误了——只看结果，不管过程；只顾目的地，不顾旅程。当我们理解这一关系，我们的目标就可以带来更高的幸福感。

目标的正确角色——幸福，在路上

罗伯特·M.波西格（Robert M. Pirsig）在《禅与机车维修的艺术》（*Zen and the Art of Motorcycle Maintenance*）中，说到了他和一群老僧人爬喜玛拉雅山的故事。虽然波西格是成员中最年轻的，但和那些老僧人相比，他反而是爬得最辛苦的。

波西格由于只把注意力放在尽快登上山顶，总是被前面的山路所影响，无法享受攀登的乐趣，最终导致失去了攀登的愿望和毅力。老僧人们当然也想登上山顶，但爬到山顶并不是第一要务，他们一旦确定了自己的方向正确之后，就轻松愉快地享受着自己的路途，而不会被前头的山路所困扰。

目标的作用是为了帮助解放自我，这样我们才能去享受眼前的一切。如果我们盲目地踏上了任何旅途，那过程本身肯定不会有什么乐趣。如果我们不知道方向，甚至连自己要去哪里也不知道的话，那人生中每一个分岔路就会变得非常的矛盾，好似向左向右都不错的，原因是我们不知道方向，也不知道每条路的终点。我们无法享受旅途本身和风景等美好的事物，只会被犹豫和迷惑所吞噬。我这么走可以吗？我在这里转弯会走到哪里去？所以，只有当我们确认目标之后，我们才可以把注意力放在旅途本身。

我上述理论的重点是要有目标，是不是能实现它则在其次。在"积极情感的作用"中，心理学家大卫·沃森（David Watson）强调了旅途的重要性："当代研究中指出，追求目标，而不是到达目标，才是带来幸福和积极情感的要素。"目标是为了让我们能享受眼前，目标是意义而不是结局。

如果想保持幸福感，必须改变我们通常对目标的期望：与其把它当成一种结局（相信它可以使我们开心），不如把它看作意义（相信它可以加强我们旅途上的快乐）。当目标被认可为意义时，它会帮助我们去规划旅途上的每一步，而不像被认为是结局时，它所带给我们的只是无数的困难和挑战。正确的目标认知，给我们的是一种安宁的感觉①。

目标是获得幸福的必需品，但它并不是全部。须知，目标本身除了必须是有意义的之外，它所带给我们的在旅途上的快乐也是不可缺少的。

🌳 反思：

什么样的目标曾经在你的生命中带给你幸福？你认为什么样的目标可以在未来带给你幸福？

是不是所有的正确目标都可以带来一样的幸福呢？金钱是否对我有意义，而声望是否可以带给我快乐呢？其实，物

---

①"体会当下"的想法，是由菲利普·斯通（Philip Stone）介绍给我的。

质的追求和需要被关注的心态都是人类的本能反应，对一些人来说，甚至是最重要的。既然这样，在我追求幸福的过程中只注重财富和名声是不是就够了呢？

在对目标和幸福的研究中，肯农·希尔顿（Kennon Sheldon）和他的同事们写道："对于追求幸福的人来说，我们的建议是，去追求包括成长、人际关系和对社会有贡献的目标（A），而不是金钱、美貌和声望（B）。对后者的追求，通常是出于必须和压力的心态。"虽然大部分的人都在追求名望、美貌和金钱，可能有的时候还是被迫的，但是希尔顿指出，如果我们可以把目标重点放在自我一致性（自我和谐）上的话，我们则可以更快乐。这方面的研究，主要帮助我们通过更好地设定目标来体现人生的快乐和意义，把我们的潜能最大化。

自我和谐的目标——为自己的幸福负责

自我和谐的目标，乃是发自于内心最坚定的意识，或是最感兴趣的事情。这些目标按照希尔顿与艾略特所言，是以"整合自我"生发的"自我直接地选择"。这些目标必须是主动选择的，而不是被加附在我们身上的；是产生于散发自我光辉的愿望，而不是为了去炫耀给任何人看。这些目标是有因果关系的：追求这些目标，不是因为他人觉得你应该这么做，不是因为责任感，而是因为它对我们有深层的意义并且

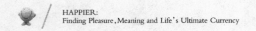

带给我们快乐。

研究也指出，那些外来目标的意义，好比我们在社会上的声望或是账号数字，它与我们内在目标的意义，好比个人成长或是与他人的关系，有着显著的不同。财富上的目标通常不是出于自我和谐，而是出于外来因素。大部分追求财富的人，为的是拥有更多的钱去满足自身对金钱和社会地位的虚荣心。

在一项名叫"美国梦的黑暗面"研究里，蒂姆·阿塞（Tim Kasser）和理查德·瑞恩（Richard Ryan）指出，如果在生命中只以追求财富为目的的话，带来的只有负面的后果。这些只追求财富的人通常也没办法充分地发挥他们真正的潜能。他们比其他人更有压力，更容易沮丧和焦虑。在身心合一方面，他们显得不健康，缺乏生命力。而在美国之外也得出一样的结论："在新加坡商业学院的学生里，那些内心充满强烈的物质化价值观的人，其自我实现度、生命力和幸福感普遍较低，取而代之的是更多的焦虑和身体障碍。"

心理学家并不是说我们完全不应该追求物质和声望——这样是违背现实的。他们也不是说物质上的东西不重要，有足够的钱去提供食物、住所、教育和其他基本需要当然重要。但是，在基本需要之外，如果是以追求幸福为前提的话，财富和声望则不应该是追求的核心。

虽然财富常被认为是外来目标，但在一些情况下，它也可以是自发性的目标，但前提是它必须对我们的幸福有贡献。有些人赚大钱并不是真的要用到每一分钱，有时是因为它是努力的奖赏，也可能是因为它证明了自己的实力。在这些情况下，财富代表了个人成长的成果，而不再只是累积的数字。

在另一种情况下，财富也可以是发自内心的目标，即当它成为达成意义的手段时。比如说，有足够的钱时，我们可以做很多对自己有意义但没时间去做的事，或者我们可以用它去支持我们认为有意义的事情。

虽然确定自我和谐的目标可以带来很多好处，但这并不容易。希尔顿（Sheldon）和琳达·豪斯－马克（Linda Houser－Marko）曾提到，选择自我和谐的目标是"很难的技巧，需要正确的自我认知能力，还要有强大的自制力，因为社会影响和压力经常让我们作出错误的选择"。我们首先必须知道我们的生命需要什么，然后诚实地面对自己的愿望并且对它负责。

反思：

你的自我和谐目标是什么？对于这些目标的追求，你有没有碰到任何外来或是内在的障碍？

"想要做"与"不得不"——发现最深的渴望

自我和谐目标的前提就是，目标乃是由自己在自由的情

HAPPIER:
Finding Pleasure, Meaning and Life's Ultimate Currency

况下所选择的。这也解释了为什么在民主制度下的人们活得要比在专制制度下的人们幸福。但即使在最民主的制度下，人们有时候仍然感到自己被奴役了——这不是来自任何政府的影响，而是被外来的因素，比如说声望、欲望、责任或是恐惧所胁迫。他们感到生活里充满了不得不做的事，而不是自己想做的事。而那些不得不做的事情，通常不是缺乏意义，就是没有快乐，甚至两者皆无。而内心想做的事情，由于是发自自我和谐的目标，通常可以带来意义和幸福。

一个增强我们幸福感的方法，就是增加想要做的事并减少不得不做的事。无论是从人生或是日常生活的角度都应该如此。比如学医是因为觉得医学有意义（内在因素）还是因为医生有很好的社会地位（外在因素）？追求股市的成功，是因为它带给我成就感（内在因素）还是因为它可以赚大钱（外在因素）？

以上的例子并不少见，我们所做的很多事都包含着内在和外在两种因素。一个因为家庭的压力而学法律的人，无法在其中找到长久的快乐；相反，如果是基于对法律的热爱而成为律师的话，那在维护正义的同时他就会觉得非常幸福。内在还是外在，通常会决定行为本身的性质。如果是内在的（换句话说，就是自我和谐的），那便是想做的；如果动力来自于外在因素，就变成了不得不做的事了。

同样的分析也可以应用在日常生活中。我每天所做的事里，有哪些是我想做的，哪些是我不得不做的？而有些不得不做的事情其实是无法避免的。对我个人来说，我想要教书，但从事了教学之后，我就必须得花很多时间改考卷。我们的挑战，不是要完全删除不得不做的事情，而是尽可能地减少它们，然后以想要做的事情取而代之。不得不做的事情和想要做的事情的比例可以决定我的幸福感。它们甚至可以决定我早上起床和夜间入睡前的心态：是满怀希望地起床，还是沮丧地想今天还有什么不得不做的事情？在入睡前，是感到充实和有成就感，还是长舒一口气说"哦，今天终于结束了"？

🌳 反思：

想象一下平常的一天，你是不得不做的事情多呢还是自己想要做的事情多？整体来说，你会不会对新的一天或者将要到来的一周满怀期望去面对呢？

问问自己想做什么，什么能带给自己快乐和意义。但这还不够，我们需要更深入地去认识自己。哲学系老师奥哈德·卡米（Ohad Kamin）在我毕业时给了我一些建议："生命很短暂。在选择道路前，先确定自己能做的事；在其中，做那些你想做的；然后再细化，找出你真正想做的；最后，把那些你真正最想做的事付诸行动。"奥哈德的话让我想到了四个圆，在最中心的那个圆代表我最幸福的选择（见图5-1）。

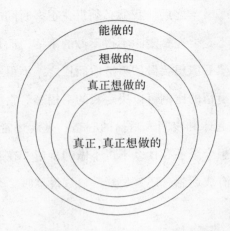

图 5-1　发现内心真正的需要

最外层的圆圈所包含的是我能做的。最里面的圈所包含的是我最深的渴求和欲望。追求我最想要的，使我感到真实——真正成为我们自传的作者。我们可能未必总能实现我们最深的期望，因为通常都会有不可控的因素存在，但诚实的态度和来自内心的答案，确实可以把我们带上正确的道路。须知一点，话语是可以创造世界的。

🐚 反思：

什么是你最最想做的事情，即最深的渴望？

我的妻子泰米（Tami）经常会和我一起设定目标——有

个人的，也有我们共同的。几年前，当我说我要为一个目标设定期限时，她说，由于自我和谐的目标可以激发我们的无限潜能，并提供巨大的精神动力，我们应该把它们设定为终身的目标。同样，在追求有意义又快乐的目标时，我们不是在消磨时间而是在让时间发光。

正如亚伯拉罕·马斯洛所说："当注意力集中在一件任务上时，无论对个体还是环境都会产生积极的影响。"这个说法在应用到自我和谐的目标时，会更加地贴切，因为它结合了我们自身最深的兴趣和需要。在最后一次受访中，20世纪神话学家约瑟夫·坎贝尔（Joseph Campbell）被问及他是否有被"看不见的双手帮助"过时，他回答说：

那真是神奇的时刻。我甚至形成了一种迷信——世上确实有看不见的力量在帮我——只要你跟随自己的天赋和内心，你就会发现生命的轨迹原已存在，正期待你的光临，你所经历的正是你应拥有的生活。当你能够感觉到自己正行走在命运的轨道上，你会发现，你周围的人开始不断地给你带来新的机会。不要怕，听从你内心的召唤，当你迷惘的时候，生活就会向你敞开大门。

就像自我和谐目标的研究所指出的，坎贝尔的感觉并不是迷信。当我们感到并追随生命的喜悦时，我们不只可以享受人生，也会更加成功。反之，如果没有一个清楚的发自内心的方向，我们很容易就会陷入漫无目的的游荡，从真我的道路上被拉开。当我们知道自己的方向时——意识到那是自己非常想达成的目标时——我们就不容易迷路，我们也会对自己诚恳。我们可以轻松地对外界那些与强加到我们身上的东西说"不"——而对自己内心的声音说"是"。

时间是一个"零和游戏"，是非常有限的资源。生命如此短暂，连做我们想做的事情都来不及，怎么能只用来做不得不做的事情呢？

练习

设定自我和谐的目标——*掌控幸福的方向*

追求自我和谐目标的人，通常不但更成功，而且比别人更幸福。自问一下，哪些是自己在生活的各个方面真正想做的事，诸如与其他人的关系或工作等等。在每个方面的下方注明以下的内容。

（1）**长期目标** 也就是地基型的目标，从 1 年到 30 年的都可以。这应该是一些有挑战性的目标，让你发挥潜能的那种。还记得吗？目标是为了让我们能享受旅途上的快乐，激发我们自身的潜力，实现与否倒在其次。我个人一个长期的目标是研究出一套增强幸福感的课程，包括出版书籍、影片以及举办培训工作坊，时限是在 2013 年 6 月 1 日之前

（在我对目标的描述中，我会清楚地写明我要出版书籍、举办的讲座和工作坊的具体细节）。

（2）**短期目标** 这部分是针对于分类消化长期目标。对于自己的长期计划，你在未来的一段时期要这么做？我个人的一个短期目标就是，在今年9月份之前完成本书。

（3）**行动计划** 在未来的日子里，你需要做些什么来帮助目标的进行呢？给自己拟定一套行程表，无论是每日的还是每周的（这些就是你即将要养成的习惯）或是一次性的。我目前正在做的就是我计划的一部分：每天用三个小时写书。

不为自己设定明确的目标，我们很容易就会被外界所影响，转而追求那些很难达到自我和谐状态的目标。我们总是面临两个选择，被动地受外来因素所影响，或是主动地去创造属于我们自己的生活。

幸福董事会

建立你自己的幸福董事会——成员是那些关心你和你的幸福，并对你的幸福有重要影响的人。让他们监督你的计划，并给予及时的建议。同时你要和他们时常会面，讨论哪里进行得好，哪里还需要更多的努力，以及哪些项目可能需要更改等等。

信守自己的承诺，不是一件容易的事。它需要时间去建立习惯和惯性，这也是为什么很多人会失败的原因。一个对改变很有帮助的事实（无论是开始一个计划、组织、克服困难，或是和家人多聚聚）就是得到他人的协助。

除了建立自己的幸福董事会之外，你也可以成为他人幸福董事会的成员（例如互相鼓励模式）。这样，你不但可以帮助自己，也可以帮助他人：在协助他人追求至高财富的同时，不知不觉中，其实就是在强化你自己对幸福的追求。当我们把自己放在一个特定的位置上时，我们对于某个想法的立场会更坚定。比如，如果我们告诉他人有关幸福的重要性，以及提醒他们去追求有意义和快乐的活动时，我们自己本身就更有可能去做这样的事情。

第二篇
如何实现幸福

第 6 章

快乐学习——很可惜，多数学生都讨厌学习

挣扎、困难和挑战都是幸福生活不可或缺的，幸福之路并无捷径。

我的弟弟约翰目前在哈佛大学就读心理学专业。没开始专业学习的时候，他喜欢一切跟心理学有关的东西，读书、思考、写文章，全都离不开心理学。而现在呢，他厌恶心理学。

这并不是个别现象，多数学生都讨厌学习。到底是什么原因让他们日夜不停地努力用功呢？在与弟弟讨论这个问题之后，我发现了两种学生的动机模式——"溺水模式"与"性爱模式"。

"溺水模式"有两个特点：（1）有从痛苦中解脱的强烈愿望；（2）一旦解脱，我们常会把那种舒适误认为是幸福。如果把一个人的头按进水里，这个人会痛苦，会挣扎着要出来。如果他在最后一刻得到解放，他第一件事就是拼命地呼吸，接着便是那醉人的解脱感。

当然学生们的情况没那么恐怖，但这动机的性质（避免失败）却是相同的。在学期中，他们沉溺在自己所不喜欢的作业里，因为失败让他们感到恐惧；学期过后，一旦从书本、功课和考试中解脱，他们即刻就可以得到那种轻松——这时这种感觉很容易被误认为就是幸福。

从孩提时代就被刻在我们脑海里的这种先苦后甜的模式，是我们唯一熟悉的生活方式，然后"忙碌奔波型"就成为一种自然而然的有吸引力的选择了。

但"性爱模式"却提供了一种不同的学习方式，一种可以同时得到目前与未来的幸福模式。那些美好的学习时光，无论是阅读、研究、思考还是写作，都可以将其看为性爱的前奏。学生们的经验表明，当知识和直觉的界限消失时，即当我们找到答案时，就像是性高潮的感觉。在"溺水模式"里同样会有这种达成目标后的高潮，但在"性爱模式"中，我们却是从一开始乃至每一件事里都能得到快乐。

让学习的过程本身成为一件快乐的事情，是每个学生的责任，尤其是在大学和研究生期间，因为那是最独立的学习时期。但是，通常多数学生们进入这个独立时期的时候，已经养成了忙碌奔波的习惯。他们从父母那里学到的观念就是用名誉和成绩来衡量自己。他们最大的责任是拿到好成绩，而不是去享受学习的快乐。作为教育者的父母与老师都希望孩子们得到幸福，但前提是他们自己必须先相信：幸福才是至高的，最重要的财富。孩子们对暗示极端敏感，通常他们会把父母和老师的观点内化，即使这些观点并不明确。

在学校里，我们应该鼓励孩子们去追求快乐且有意义的学习方式。如果一个学生对做社会工作者感兴趣，并考虑这个选择的得失，这时老师就应该鼓励他，而不是告诉他做生意可以赚得更多；如果他想从商，他的父母也应该支持他，而不是告诉他从政才是他们对他的期望。如果父母和老师相信幸福才是至高财富，那这种鼓励就是最自然最符合逻辑的选择了①。

🌰 反思：

回想你在学校里最好的老师做了什么来启发你对学习的兴趣？

---

① 我并不是在推广放纵式的教育，让家长任孩子们胡闹，或是事事都随他们去。最好的教育家总是可以找到给孩子设定限制和让他们自由发挥的平衡点——那个界于硬性态度和给予独立生活的地带。

当强调成果（实在的目标）高于建立学习的兴趣（无法衡量）时，学校其实已经是在鼓励忙碌奔波的信念以及抑制孩子的情感成长了。"忙碌奔波型"所相信的就是成果比情感上的快乐更重要，因为他人会对成果作出赞赏，而情感只会影响获取成果，所以最好压制它或是根本不要去理会它。

具有讽刺意味的是，情感不仅是追求至高财富（幸福）的必需品，而且也是追求物质的必需品。丹尼尔·戈尔曼在《情商》一书里说道："心理学家们一致同意，人类的智商（IQ）对于成功的帮助只有20%，其余80%则来自于其他的方面，其中包括我所说的情商（EQ）。""忙碌奔波型"的想法本身就和情商相冲突，更不要说既快乐又成功地生活了。

那么，老师和家长们应该做些什么来帮助学生在学校过得更开心，同时又不影响学业呢？心理学家米哈伊·西卡森特米哈伊在沉浸理论（flow）中，教给我们一些如何建立适当的家庭和学校环境，来帮助其成员平衡近期与远期利益，同时获得快乐和意义。

沉浸体验——乐在其中并实现成就

沉浸，根据西卡森特米哈伊的说法，就是个体完全地沉浸于体验本身，而体验本身就是最好的奖赏和动机，在沉浸状态中我们的感觉和体验合二为一，"行为和觉察融为一体"。

我们都有过沉迷于阅读或写作的经历，有时连别人叫我们都听不见；或者当我们在专心烹饪、和朋友说话、在公园打球，经常几个小时就在不知不觉中过去了。这些就是沉浸体验。

在沉浸状态中，我们享受着巅峰体验，同时也做出了巅峰表现：我们感受快乐，展现最好的状态。运动员则把这种情形称为"在状态"。无论我们在沉浸的境界里做什么——踢球也好，雕刻也好，写诗也好，学习也好——我们对于正在进行的事情是用一种全神贯注的态度，没有任何人或事可以打扰我们或是使我们分心，在此最佳状态下，我们更有效地学习、成长、进步以及向未来的目标迈进。

根据西卡森特米哈伊的解释，有清楚的目标感是沉浸体验的前提。虽然目标有时会有所改变，但当我们开始行进时方向是不能错的。当我们全心全力投入目标，不为任何其他的诱惑所动摇时，我们才能获得沉浸体验。其中，目前以及未来的益处合而为一：遥远的目标不但不是阻力，反而可以帮助我们去感受正在经历的意义。沉浸体验所带来的是更高层次的幸福，它把"无苦无获"变成了"现在的快乐即未来的成果"。

西卡森特米哈伊的沉浸理论还指出："无苦无获"的说法代表我们必须承受极度的压力——无论是身体上还是心理上的——才能发挥 100% 的潜力，达到至高的目标；但在沉浸体验中，痛苦本身并不是巅峰表现的最高境界，相反，有一个区域是在过难和过易之间，在这个范围内，我们不但可以发挥最大的能力，还可以享受过程中的快乐。我们想要达到这个境界，任务对我们的挑战要难易适度（见图 6-1）。

图 6-1 显示出，如果任务难度高而技能不足时，我们会感到焦虑；相反，如果技能程度高超而任务太简单时，我们就会感到乏味。当难度和技能匹配时，沉浸体验才有可能出现。

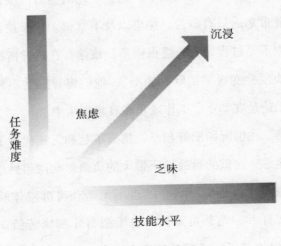

图 6-1 沉浸体验

🏆 **反思：**

你什么时候曾经有过沉浸体验？

许多学生不是感到焦虑，就是觉得乏味，因此他们无法享受学习过程或是发挥出真正的潜力。当学生期望目前和未来的收获时，老师应该针对个人潜力，给予适当的题材和作业。就像以上所提示的，有两种不同的情况会影响到学生达成沉浸体验。第一是一个有压力的环境，因为这样会带来焦虑；第二是一个没有挑战性的环境，因为这样会使人丧失动机。

在第一种情况里，老师所应用的是"溺水模式"的教学。由于孩子的压力太大了，超出了他的能力范围，导致学校作业带来的只有痛苦、焦虑以及不幸福。孩子被迫只注重结果而不是过程，只是终点而不是旅途。在这种情况下，他们很快便会变成"忙碌奔波型"，他们终身感受不到沉浸体验，无论是在学业、工作或是在日常生活中。

第二种情况则刚好相反。挑战不足和乏味代替了挑战过大和焦虑。过低的挑战性所带来的负面影响比起挑战性过高一点也不少，它们所剥夺的也不光是获得沉浸体验的可能性。教育者，尤其是家长，由于把奋斗和痛苦错误地同化（为了保护孩子）所犯的通病有两种：一是满足孩子的所有要求，二是把他们和所有的挑战隔离。在给孩子制造舒适生活的过程里，剥夺了孩子奋斗的机会，同时也是剥夺了他们去体验沉浸以及克服困难的经验。

在我的成长过程中，我最喜欢的卡通片是《百万小富翁》（*Richie Rich*），主人公是一个有钱但可怜的富家小孩。好像什么都有，但却依然感到烦恼。故事所反映的其实就是今日社会，我们看到越来越多的有钱人，包括出身富裕的孩子，在他们身上我们同时也看到越来越多的不幸。有些人叫这种情况为"富贵病"，我把这称为"生活的失重"。

生活失重——轻而易举并非成功之路

塞缪尔·斯迈尔斯（Samuel Smiles），近代自助运动的创始人，在 1858 年的一篇文章中提到："我们应该教育所有的孩子：生命中真正的幸福和成就感必须依靠自己的力量付出与努力，而不是借助旁人的帮助。"如果家长帮着孩子逃避问题和挑战，只会带来未来的不幸。"人类最大的贫乏，就是事事顺心如意，无须努力，最终导致希望破灭，再无奋斗之心。"当面临挑战时，孩子其实和大人一样，他们会在成功中找寻意义，并且享受努力实现目标的过程。

生活失重可以在某种程度上解释为什么在这个社会中抑郁症的患病率会不断地上升，以及为什么患抑郁症的人越来越年轻，因为他们的生活实在是太过轻松容易了。

挣扎、困难和挑战都是丰富生活不可或缺的，幸福之路并无捷径。但我们对于他人的困难（尤其是对孩子）通常第一个反应就是去帮助他们。当我们有能力帮助他们的时候，应任凭他们自己去突破挑战。这听起来似乎不合常理，但我们必须抑制那种自然反应，让孩子们保有挣扎的权力。

有钱人经常不开心的另外一个原因，就是他们对于"有钱就应该开心"的压力。"我有钱，我怎么可能会不开心呢？"他们会为不开心而感到内疚，会觉得如果不开心就是对不起自己所拥有的巨富。还有，他们找不到不开心的合适理由，最终把不实的错误怪到了自己头上。他们因为追求幸福而感到压力，由于觉得自己无法克服负面情绪而感到内疚和无能。在这个现实的世界中，很多人不了解情绪好坏与物质多寡并非有如此紧密的联系。

幸福面前人人平等

我们有着承受极大痛苦、极大快乐和其他中间情绪的能力。虽然每个人的物质状况不一样，但每个人都有争取至高财富（幸福）的能力。除了那些极端贫穷和受到政治迫害的人之外，幸福和不幸福其实是很公平的。在《究竟谁幸福？》一文中，著名心理学家大卫·迈尔斯和艾德·狄纳指出："就幸福和生活满意度而言，年轻人和老人、男人和女人、黑人和白人，以及穷人和富人的获得能力是差不多的。"幸福面前人人平等。

正如 18 世纪经济学家和哲学家亚当·斯密（Adam Smith）所说："对于人类的幸福感，穷人的幸福感比起富人的幸福感并没有任何的优劣之分。"虽然亚当·斯密是站在一个特权阶层的角度说话（他与当时的主流社会格格不入），但至少他说对了一点，就是穷人的痛苦和欢乐，无论是在质量或是数量上，和富人的并没有差别。在基本条件（食物、住所、适当的教育）达到后，从情感的角度来说，经济状况并不会造成显著的差异。

富人的不幸也很真实、自然，比起穷人的不幸没有任何差别——所以人类社会在这点上其实是很公平的。所有的人都会体验不安、恐惧、快乐和幸福。无论我们是否富有，剥夺体验这些情绪的权利，其实就是在剥夺获得幸福的权利。甚至连虚无主义者都无可避免地会碰到不开心的事，不去面对，只会导致更多的不快乐。我们无论收入或社会地位怎样，都需要给自己权力去"全然为人"①。

🏆 **反思：**

你会以自然心态去接受负面情绪，还是会排斥它们？你

---

① 在我即将要出的新书《全然为人》（*The Permission to Be Human*）里，我将会更详细、更深入地讨论此观点，以及其他相关内容。

是否有给自己"全然为人"的机会？

改变对工作的偏见

西卡森特米哈伊的研究指出，人在 12 岁时已经可以清楚地将工作和玩耍分类，这是一种跟随我们一生的分辨能力。孩子得到的一个明确信息是，教育就是学校作业、家庭作业，以及努力用功。把完成学校作业当成工作，很容易会使孩子们厌烦，因为只要是人，都不会喜欢"工作"。这种厌恶在西方社会里根深蒂固，在很多著名的文学作品中都可以找到证据。

亚当和夏娃过的是典型的快乐生活——他们没有工作，也没有对未来的打算。当他们吃下禁果，被赶出了伊甸园，他们和他们的子子孙孙从此都必须辛苦工作。辛苦工作从此成了一个处罚的标志，我们会把天堂（一个完美的地方）形容成一个没有困难、没有工作的地方。但其实在地球上，我们必须有工作才会有快乐。

在 "工作与休闲中的最佳体验"研究中，西卡森特米哈伊和朱迪丝·勒菲弗（Judith LeFevre）指出，人类喜欢休闲多于工作——这是一个没有争议的结论——但人们在工作中的沉浸体验比休闲活动中要多。

这种矛盾（我们说喜欢休闲，却在工作中得到更多的沉浸体验）令人深思，它说明了我们对工作的偏见，我们常常把努力与痛苦、休闲与快乐联系在一起，已经干扰了我们对于自身体验的客观认知。当我们开始把工作中的积极体验负面化时，我们其实是在限制自己获得幸福的潜力，因为幸福并不仅仅是经历正面情绪，还要重视这些体验。

工作场所应该是一个我们可以体会正面情绪的地方。在《教学的勇气》（*Courage To Teach*）一书中，教育家帕克·帕尔默（Parker Palmer）写道："在一个把痛苦和工作绑在一起的文化里，揭示工作最大的特征在于深度的幸福感是非常具有革命性的。"我们把工作和努力与痛苦绑在一起的恶习，已经深深地影响了我们在学校和工作中获得幸福感。

为了能让自己在工作和学习上得到更多的快乐，我们首先得改变我们的观点，改变对工作的偏见，而唐纳德·赫布（Donald Hebb）1930年在这一点上的研究对我们很有帮助。

六百个6~15岁的学生得到了这样的信息：他们不需要再做家庭作业。如果他们不乖，他们就会被罚出去玩，如果他们好好表现，他们会得到更多的功课。结果在短短的一两天之内，学生们都选择了好好在课堂上表现（他们学到了更多的知识）。如果我们可以照仿这个实验过程改变对工作的态度，把工作视为一种特权，而不是责任（对孩子们也一样），这样我们不但会感到更幸福，也可以学到更多的东西

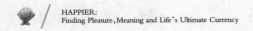
同时有更好的表现。

 **反思：**

你可否把工作和学习的体验看作是一种特权？你是否享受身处其中的感觉？

当我们对幸福的看法是刻板（即当我们把努力和挣扎排除在幸福感的来源之外）时，其实是忽略了一些获得幸福的最大可能性。在学校和工作中，我们忽略了幸福的机会，在学校和工作之外我们拼命地消灭所有的挑战和困难。结果我们的感觉是：幸福真是遥不可及。

最佳的教育应该是教会学生在物质和精神领域同时成长。只关注技术上的东西是不够的，学校还必须突破 3R（wRiting，写；Reading，读；aRithmetic，算术）。我觉得要再加一个 R：狂欢（Revelry）。老师必须为学生创造一个快乐的学习环境。我们通常都会在教室里花上许多年的时间，而我们人生中很多的习惯也正是在这些时间里培养出来的。如果学生在学校里获许去追求幸福，从事获取这至高财富的活动，则他们在人生中就更可能养成这个好习惯。但如果他们在学校里只是按着"忙碌奔波型"的模式去学习，那他们的人生也很可能就是那样。

没能帮助学生找寻有意义和挑战性的活动，没能让他们体会学习的乐趣，许多教育家所注重的是如何帮助他们拿到更高的分数。西卡森特米哈伊写道：

学校和家长在帮助孩子们找寻快乐这点上都做得不好。大人们自己经常被不实的典型所迷惑，并成为传播这一典型的同谋。他们把重要的事看得又难又无聊，而把简单的事认作是刺激和容易的。学校通常不能让学生体会到数学和自然课也可以是那么迷人，那么令人激动；学校所教授的历史和文学往往停留在表面，而不是它们的奇妙之处。

每个人天生都具备对学习的热情，孩子们会不停地发问，会不断地去发现周围的世界。教育者作为帮助孩子追寻自身价值和获得沉浸体验的人，应该去培养孩子求知的热情。他们可以把学习转变成一种迷人、而美好的旅程，贯穿整个生命中的对幸福的追求。

练习

建立学习计划——积极成长

最成功的人都是活到老学到老的人，他们不停地发问，也会不停地去探索这个奇妙的世界。无论你是在生命里的哪一段，无论你是 5 岁或是 115 岁，无论你正是风光无限还是艰难的奋斗，你都可以为自己建立一套学习计划。

你的计划可以包括以下这两个方面：个人成长和专业成长。在每类学习中，用心地去找寻快乐（比如阅读并思考很快乐）和意义（书中的知识会促进你整体地成长），要把你的计划规律化、习惯化。

举个例子，在个人成长中，阅读纳斯尼尔·布兰登的《自信心的六大支柱》，完成里面的完形练习。此外，报名参加积极心理学的课程，养成写心理日记的习惯。至于专业成长方面，可以找一个该领域你信任的导师，并关注自己专业领域里的动态。

奋斗的特权——让困难变成幸福的机会

虽然我不相信发生的都是好事情，但我却知道一些人，他们可以在任何环境中都能找到最好的一面。没有人会喜欢困难，但在我们的成长过程里，困难却可以扮演一个非常重要的角色，一个没有挑战性的生命是没有意义的。

写下一个你所经历过的艰难时期———次失败或是某段挣扎的时期。在对之详细描述之后，写下在那个过程中你所得到的好处。当然，也不必刻意地淡化或减轻经历的痛苦。那件事让你变得更有韧性了吗？你学到了重要的东西了吗？你会不会变得更加心怀感恩了呢？你有没有学到其他的经验？

如果你是在小组中完成这个练习，试着互相帮助，从各自的经历中学习。在所有困难中都有所收获才是最重要的。像我的同事安·哈比森（Ann Harbison）所说："永远不要浪费从困境中学习的机会。"

第 7 章

开心工作——做自己爱做并可以获得报酬的事情

对于把工作看成使命感的人来说，工作本身就是目标。他们对工作充满热情，在工作中达成自我实现。工作对他们来说是一种恩典，而不是打工。

10年前我遇到过一个年轻人，他是一个律师，在纽约一家相当有名望的公司上班，并且即将成为合伙人。在他的高级公寓里，中央公园的美景一览无遗。他刚用现款买了一辆全新的宝马。他非常努力地工作，每星期至少工作60小时。他每天早上挣扎着起床，把自己拖到办公室；他感觉自己没有什么盼头——与客户和同事的会议、法律报告与合约事项占据了他的每一天，对他来说这些就是每天的任务。当问起在一个理想世界里他还想做什么的时候，他说他想去一家画廊工作。我接着问他："在现实世界里，无法找到在画廊的工作吗？"他回答："不是的。但是如果在画廊工作，收入会少很多，生活水平也会降低。"因为他对律师工作很反感，但感觉没有其他的选择。他感到很不开心，因为是他被一个不喜欢的工作所捆绑。他的处境并不少见，在美国，只有50%的人对他们的工作满意。然而，我们发现，这些人之所以不开心，并不是因为他们别无选择，而是他们的决定——将物质与财富放在快乐和意义之上——让他们不开心。

热情产生的奴隶——好工作传递幸福

在希伯来语中，工作（AVODA）和奴隶（EVED）两字来源相同。大部分的人都为了生活而必须工作。就算在生计没有问题时，我们的本能仍然指挥着我们去工作：我们的使命是追求幸福，而为了幸福我们就必须工作。

但是，生活需要或是社会法规并不能阻挡我们体会真正的自由。只有在自己选择的快乐与意义并存的生活中，我们才能感受到自由。至于我们能否从工作中找到自由，取决于我们是愿意受制于物质财富、他人的期望，还是被自身的情感和热情所推动。

在作此类决定之前，我们应该先问自己一些问题。《圣经》里说，发问才会有答案。当我们开始质疑自己，才会去探索和征服自己。我们可以看到一些以前看不到的事，发现一些以前被遮掩的道路。

在列出一些确切的问题后，我们可以挑战自己假设的情景、自己传统的思考方式：我工作快乐吗？如何才能更快乐？我会为了更快乐更有意义的工作而辞职吗？如果我不能，或因为什么原因而不想离开，那有什么方法可以使我现在的工作更开心呢？

好的雇主可以制造出一个传播幸福的工作环境。心理学家理查德·哈克曼（Richard Hackman）的研究说明，一些外在环境条件可以帮助员工在工作上找到更多的意义：第一，这份工作必须能激发出员工的才华和潜力；第二，雇员应该获得更大的发挥空间，在公司的运作中扮演更重要的角色，而不只是旁观者；第三，雇员应该感受到他们的业绩是有意义的。能做到以上三点的雇主更有可能给雇员带来幸福。

正如我在本书第 6 章中所讨论的，西卡特森米哈伊说明了一个难易适中的工作能增加员工的投入水平。雇主若能够考虑到将投入的工作对雇员和组织所带来的好处，就可以更加合理地安排工作。

 反思：

回想一下你最喜欢的工作经验，是具体的工作内容还是工作环境让你那么快乐？

　　我们不能只坐在那儿去期盼好工作从天而降，我们必须主动去寻找或是在目前的工作中创造那种环境。迁怒于他人（父母、老师、老板或是政府）或许会得到一些同情，但那不是幸福。找寻幸福的最大责任还是落在我们自己身上。

　　在某些工作里，为了争取幸福，我们可以对工作进行适当调整。比如，即使工作没有特别的要求，我们还是可以为自己设定一些明确的目标，从平凡中寻求挑战，获取沉浸体验。我们可以主动承担更多的责任，更多地参与我们感兴趣的工作，或调换到其他部门加入新的项目。如果无论我们怎样努力，目前的工作都无法让我们感兴趣投入其中，那么就应该考虑换工作了。当然，在有的情况下，离开我们当前的工作可能是个困难的选择，但是大多数情况下我们可以找到新的工作，不但可以解决我们的温饱问题，还可以让我们更幸福。

　　下决心在工作中作出改变，或是找新工作可能会让人恐惧，但是如果一份工作在糊口之外无法带来任何幸福，就确实需要有所改变。当收入不能满足自己的物质需要时，我们会不断地去找更好的工作，以求从困境中脱身而出；试问一下，为什么当追求的目标是幸福时，我们却不能做出同样的努力呢？要在生活中做出改变，所需要的其实是勇气，而勇气本身不代表没有恐惧，而是感到恐惧的同时仍然付诸行动。

金钱和幸福都是生存的必需品，并非互相排斥。进一步说，通常在越感兴趣的事情里，我们越能发挥自己的天赋，做这些事情既有意义又可以让我们快乐，乐此不疲。我们通常会对感兴趣的事（我们热衷的事情）更努力。没有热情，动机便会减弱；有了热情，不但动机坚定，连效率也会提高。

我们所投在工作中的努力，是无法仅用赚钱多少来衡量的。就像机器人的例子所说明的，如果没有任何热情，我们很快就会丧失兴趣。感情带动行动，热情是我们的动力。

寻找我们的使命——力量源于内在

心理学家亚伯拉罕·马斯洛曾写道："人类最美丽的命运、最美妙的运气，就是做自己喜爱的事情同时获得报酬。"寻找如此"理想"的工作——可以让我们更幸福的工作并不容易。研究表明，人们对待工作的态度可以对此产生影响。

心理学家艾米·文斯尼斯基（Amy Wrensniewski）和他的同事们，提示人们对待工作有三种态度：任务、事业、或是使命感。

如果只是把工作作为一种任务及赚钱手段，而不是期待在其中有任何的自我实现，这种情况下，每天去上班是因为他必须去，而不是他想去。他所期盼的，除了薪水之外，就是节假日了。

把工作作为事业的人，除了注重财富的积累外，也会关注事业的发展——权力和声望等等。他们所关注的是下一个升职的机会，如从副教授到终身教授，从老师到校长，从副总统到总统，从助理编辑到总编辑。

对于把工作看成使命的人来说，工作本身就是目标。薪水和机会固然重要，但他们工作是因为他们想要做这份工作。他们的力量源于内在，同时也在工作上感到了充实；他们的目标，正是自我和谐的目标。他们对工作充满热情，在工作中达成自我实现。工作对他们来说是一种恩典，而不是打工。

反思：

你把你的工作当成是任务、事业，还是使命？据此反思你之前所从事的所有工作。

我们对工作的定位——无论是任务、事业还是使命——对我们在工作及其他生活方面的幸福感均有影响。文斯尼斯基的建议是："除了收入或地位之外，人们对于工作的定位，将在很大程度上决定他们对工作及生活的满意度。"

找寻使命感，需要努力和清醒的头脑。因为通常我们所得到的鼓励是去找一份适合自己当前能力的工作，而不是一份自己想做的工作。大部分的职业介绍所以及职业测验都是注重我们目前的能力，而不是我们的热情。没错，像"我当前的能力优势是什么？"这类问题，在寻找人生路线的过程中当然重要，但重点是这个问题的提出必须是在确定了结合意义和快乐的目标后。如果我们的第一个问题是"我可以做什么"，我们就是在优先考虑实际问题（金钱或是他人的期望的看法）；但如果第一个问题是"我想做什么"——什么能带给我快乐和意义？那我们的选择才是以幸福作为衡量一切的标准。

寻找 MPS 即意义 （Meaning）、快乐 (Pleasure)和优势（strengths）

寻找适合的工作（可以发挥我们的优势和热情）通常是很有挑战性的。我们用以下这三个关键问题来问自己：什么带给我意义？什么带给我快乐？我的优势是什么？要注意顺序。然后看一下答案，找出这其中的交集，那个工作就是最能使你感到幸福的。

做这个实验时，切记要用心，而不是胡思乱想瞎写一通。你会发现头脑中有很多现成的答案，但从中寻找到准确答案并不容易。比如在回答"什么对我们有意义"这个问题时，我们需要尽量多地写下所有我们曾经从事过的，让我们感到有明确目标感的事情，认真地回忆和反思我们生命中的这些时刻，确定对我们真正有意义的事情。

我们可能得为这三个问题花些时间去思考，答案可能会很多，并且互相交叉的地方一开始不一定那么明显。

使用 MPS 方法——找准人生定位

图 7-1，以一种简单方式来解释 MPS 的运用，而我们实际的情况可能会比示范图要复杂得多——如何通过思考 MPS 给我们带来幸福和成功？

比如，我觉得有意义的事情包括解决难题、写作、帮助孩子成长、参与政治活动以及音乐等。让我快乐的事情有航海、烹饪、阅读、音乐，还有和孩子们在一起。富有幽默感、热情、与孩子们沟通的能力，以及处理问题的本事则是我天生的优势。

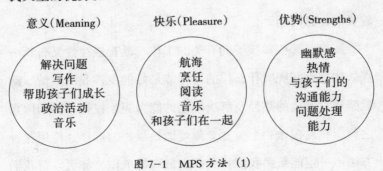

图 7-1 MPS 方法 (1)

交集中的答案是什么呢？

从图 7-2 中可以马上发现，和孩子们在一起的工作可以带给我快乐和意义。再细化一下，现在需要考虑到我的个性以及生活习惯。比如说，我做事非常有计划，喜欢计划整个星期的工作,喜欢每日有规律的工作。我也喜欢旅游，所以工作最好有比较长的休息时间。

意义 (Meaning)　　快乐 (Pleasure)

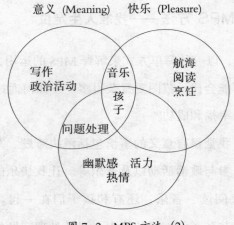

图 7-2　MPS 方法（2）

每日有规律的工作。我也喜欢旅游，所以工作最好有比较长的休息时间。

那么，哪些和孩子们有关的工作，既有规律性又有长一点的休息时间呢？什么样的工作能最好的发挥我的热情、幽默感和对阅读的热爱及解决问题的能力呢？权衡各方面因素之后，我发现做一个英文老师可能是最好的选择。使用这种方法不一定能帮助我们找到薪水最高的工作，却可以帮我们找到获得幸福的工作。

MPS 方法也可以帮助我们在其他生活领域中作出重要的决策。如在学校选修课程，我们就可以去选择处在三者交集之中的课程，一个既可以为我们带来未来的意义，又使我们快乐而且还可以发挥我们优势的选择。

MPS 也可以成为管理者的好工具，帮助员工们去发现和从事他们感觉有兴趣、有意义又能发挥个人优势的工作，这不但可以增加他们的投入程度，同时可以提高他们的工作表现。MPS 甚至可以帮助人力资源部门更好地选择新员工。很难找到一个环境可以完全满足每个人的需要，发挥每个人的优势，管理者的重要工作之一，就是寻找员工和职位的契合点。

塑造我们的使命感
——对工作的认可比工作本身重要

MPS 方法的一个提示就是：人们有选择工作的权利。但如果实际情况是他的选择不多，或是根本没有选择呢？如果由于一些外来因素而导致他无法去找一个符合 MPS 标准的工作呢？其实，在一些情况下，职业和职位本身就可以发挥员工潜力，并且为他们带来意义和快乐。比如作为医生，其工作的意义肯定要比卖二手车要重大得多；类似的，文斯尼斯基的研究还说明了，通常来说，员工的职位越高，他们的使命感也就越强烈。

但无论是 CEO 还是职员，医生还是汽车销售，每个人都可以在自己的工作中去塑造使命感，而获取更多的幸福感——让工作变成我们的使命而不是简单的打工。文斯尼斯基和简·杜登（Jane Dutton）说过："即使是在最受限制最乏味的工作里，员工一样可以为工作赋予新的意义。"

在一个针对医院清洁工的研究中，一组人觉得他们的工作就是打工（无聊，也没有意义），另一组人则觉得自己工作很有意义，工作得很投入。第二组人在清洁工作中充分地发挥了创造性，他们与护士、病人以及家属交谈，把医院员工和病人的舒适看成是自己的责任。从整体上来说，他们看待工作的角度更高，在其中找到了意义：他们不只是倒垃圾和洗衣服，正是他们的工作让医院正常运转，帮助病人康复。

要获得更多的幸福感，我们对工作的认可有时候比工作本身更重要。医院清洁工认定了一个事实，那就是他们的工作可以带来真正的改变，比起不认可自己工作的医生——那些看不见自己工作价值的人——他们其实是更幸福的。

研究者还发现，就像第二组的人，一些发型师、技工、护士以及饭馆的帮厨由于在日常工作中找到了使命感，从中得到了更多的意义和快乐，他们与服务对象的关系也不再是简单的金钱关系。在一些工程师中也有同样的发现，在技术层面之外，他们还看到了自己作为老师、团队的缔造者和维系者的意义，因此他们从看似机械的工作中获得了更多的使命感。

反思：

你觉得在目前的工作中如何增加工作的意义？你可以做出什么样的改变？

专注幸福——让幸福现身

在《禅与机车为修的艺术》一书中，罗伯特·M.波西格写到："生命的真相就在我们眼前，我们却常常让它走开，结果是真相离我们越来越远。"在日常工作中，我们常常对那些可以获得快乐和意义的机会视而不见。潜在的幸福如果没被注意到（如果我们只关注其他的东西），我们将面临失去它的危险。想要把可能变成事实，我们首先必须认识到这些可能性是存在的。

幸福并不取决于我们得到了什么或身处何种境地，而是取决于我们选择用什么样的视角去看待生活。有些人，无论工作或生活再好，他们一样感觉不到幸福，但他们仍然不断地欺骗自己，认为外在的因素可以最终改变内在的体验。

爱默生说得很对："对于不同的头脑，同一个世界可以是地狱也可以是天堂。"完全一样的事，可以带给每个人不同的感觉；我们选择去注意什么，往往决定了我们做很多事情时享受的程度无论是人际关系、学习还是工作。举个例子，一个闷闷不乐的投资家，可以通过学习专注于他事业中那些与人生意义、与快乐有关的事情来提升幸福感。如果他看重的只是数字，就很难在自己的事业中找到幸福。信念的改变可以带来巨大的差异，就像那些发型设计师、医院清洁工以及工程师所表现出来的，当我们关注幸福的时候就更容易发现幸福。

哈姆雷特说过："事情没有好坏之分，只是取决于你如何看待。"这只说对了一部分。事实上，我们所注意的部分即我们的认知非常重要，但这并不是说每个人在任何时间都能得到幸福。比如说，有些人无论去注意什么，都无法在他们的事业上找到让自己感到有意义和快乐的事。有一些公司或国家由于专制，在其中要找到幸福几乎是不可能的。幸福是内外因素结合的产物——我们所追求的以及我们所专注的。

大部分人都可以找到相对满意的工作，但我们确实可以有更好的选择。为了帮助大家找到自己的使命感，让我们来听听我的一位智慧的学生艾伯尼·卡特（Ebony Carter）的观点："与其去注意我们需要什么才能生存，不如去注意我们没了什么就无法生存。"找寻使命感，乃是去回应自身内在的呼唤——那个能引导我们走向幸福的声音。

练 习

三个问题——训练你对幸福的方向感

用一些时间把以上的三个问题重新过滤一下，回答下面的问题，然后找出那些相互交叉的部分。

第一题：对我有意义的是什么？什么给了我使命感？

第二题：我觉得快乐的事情是什么？什么带给我快乐？

第三题：我的优势是什么？我擅长做的又是什么？

通过这个步骤，可以帮助你在最宏观的层面（你生命里的使命是什么）以及最微观的层面（你希望每日的生活应该是怎样的）上找到你的方向以及使命感。虽然它们联系紧密，但在宏观层面的改变是需要很大的勇气的，比如离开目前的公司或者放弃现成的人生道路。在微观层面上的改变，比如每星期花两个小时做自己爱做的事就容易得多，但仍然可以帮助你获得更多的幸福感。

重塑造你的工作——找到隐秘的财宝

除了做出巨大变动来改变生活之外，另一个方法就是在现有的生活中增加那些自己觉得喜欢、有意义和自己擅长的事情，或是在正在从事的事情中挖掘其中的幸福。通常我们不用挖掘得很深就可以发现它们了。

我们对于工作的偏见，或是对其意义的狭隘认识，经常让我们错过生活的真相——那就是，我们随时都有获得更幸福的潜力。这个练习是为了帮助我们发现那些隐秘的财宝。

描述一下你每天的日常活动，把它们填在本书第 3 章里"人生路线图"练习的时间表上（或是做一个新的时间表，特别是关于工作的）。在审视它们时，问自己两个问题：（1）你是否可以改变工作上的一些常规内容，增加让你感到意义和快乐的工作，来替代不能激起你热情的那些任务？（2）无论你是否可以做出改变，自问一下，在目前的工作中有哪些违背发掘的潜在意义和快乐？想象一下那些医院清洁工、发型设计师和工程师，他们是如何在工作中创造幸福的，他们并没有进行任何根本的改变，比如更换工作或者工作环境；他们所做的只是赋予了工作本身更多的意义，从中发现快乐，从而提升了工作的幸福感。

基于以上两个问题，我们可以把"工作描述"改写为"使命描述"。把自己目前的工作重新描述一下，要写得足以令人向往。当然这并不是说要言过其实或者夸夸其谈，而是客观地发现并记录下来这份工作潜在的意义和快乐。我们看待工作的方式，我们向他人介绍自己工作的方式，可以极大地影响我们在其中的体验①。

①同样的说法可以应用在我们如何去塑造生活中的其他方面。比如说，如果我们去发现，并且强化我们关系里的积极成分，我们自然会更快乐地去享受它们。

第 8 章

美满婚姻——爱你有商量

就算在双方彼此深爱的情况下，如果把牺牲和爱并列——爱得越深，牺牲越大——幸福也一样会受到影响。

艾德·狄纳和马丁·塞里格曼，这两位积极心理学界的领袖人物研究了一些"非常快乐的人"，并且将他们和"不快乐的人"作了比较。在外界因素中，唯一能够区分两种人的因素为是否具有丰富而满意的人际关系。与朋友、家人和爱人共享美好的时光是幸福的必需品。

与我们关心的人和关心我们的人在一起分享我们生命里的经历、想法以及感受，可以增加生活的意义并安抚我们的痛苦，让我们感到这个世界充满了欢乐。根据 17 世纪哲学家弗朗西斯·培根（Francis Bacon）所说，亲密关系可以"将我们的快乐加倍，将我们的痛苦减半"。亚里士多德也说："没有友谊，就没有幸福。"

人际关系对个人幸福非常重要，其中浪漫的亲密关系是真正的基石。在总结对幸福的研究时，大卫·迈尔斯也认为，"幸福的最佳预测因素，就是紧密的、平等的、共同成长的、维系终生的亲密关系。"与浪漫的爱情关系相比，没有任何其他的主题如此频繁地出现在文学作品中（诗词、科幻书籍、非科幻书籍）或是得到如此广泛地讨论（餐厅、学校以及沙发上）。同时，对这个问题的误解也是最深的。

反思：

想象一下那些和你亲近的人，你和他们是否有足够的时间相处？如果不是，你该如何去改变这个现状？

无条件的爱——爱他本来的样子

在赢得以色列壁球冠军几周之后的一天中午，我以一个16岁的以自我为中心的少年的口吻对母亲说："我希望女孩子因为我这个人而喜欢我，而不是因为我是冠军。"现在想起来，我怀疑当时的担忧根本就是多余的（当时以色列严重缺乏壁球场、球员，还有观众和球迷），也许那只是假谦虚的结果——模仿那些抱怨自己找不到真爱的有钱人和名人。

说实话，我当时并不是很在乎别人为什么喜欢我，其实只要有人喜欢我就不错了。

无论当时我为什么会有这种想法，母亲回答我的态度是非常认真的。她说："赢得冠军，只是反映出了你自己、你的热情以及你的执著。"就像我母亲所说的，夺冠没有改变什么，只是让一些事实更加明显。但是，外在的东西总是比内在的东西更吸引我们的注意力。

直到很多年以后，我才明白妈妈所说的"人们应该爱我们本来的样子"，与此前我的理解是不一样的。换句话说，爱我们本来的样子就是"无条件的爱"。我们在卧室、小孩的房间、教室里不是经常听到这句话吗？我们是希望别人无条件来爱我们？或者，无论任何情况都爱我们？又或者，我们认为爱根本就不需要任何理由？

把爱只解释为一种简单的感觉、一种情绪或是不需要缘由的话，是不能成立的。没有理性的基础，爱是无法延续的，就好像只有愉悦的情绪不足以带来真正的幸福一样（正如享乐主义者由于没有目标，无法得到真正的幸福），只靠强烈的感觉，是无法让爱永恒的。当一个人爱上另一个人时，其实中间包括了有意识和无意识的原因。也许他会觉得他爱她只是因为她这个人，但可能他自己也不清楚是什么意思；当问到他为什么爱她的时候，他可能会说："我也不知道，我就是爱她"。我们一般所学到的是用"心"去爱一个人，而不是用脑——爱是无法解释的、神秘的，以及无法以常理衡量的。但是，如果他所感到的是真爱，那他肯定是由于某个原因才会爱。而这些原因不一定是能意识到的，也可能永远无法清楚地去解释，但它们肯定是存在的。

如果可以找到爱的理由，如果是有条件地去爱，那无条件的爱还可不可以存在呢？或者，无条件的爱本身就是不合理的？以上全都取决于我们所爱的是不是这个人真正的核心价值。

核心价值——真爱的基石

核心价值包含的是我们最深最真的特性，也就是我们的个性，它包含我们的生活原则，但这些原则未必与我们平时所宣称的一致。由于无法直接观察核心价值，所以唯一可以用来衡量一个人个性的方法，就是以其个性所反映出来的行为。

一个有感情、勤勉刻苦、有耐心和热心的人，可能去建立一所帮助贫困儿童的学院。这个学院办得成功与否，可以用外在的成就来衡量，但能反映这个人核心价值的，则是来自于其内心的热忱。如果有一个无条件爱着他的人，她当然会为他的成功高兴，也会为他的失败难过；但无论结果如何，她对他的感觉不会改变，原因很简单，因为他的核心价值并没有变。

如果我们因为财富、权力或是名声被爱，那只是有条件的爱；如果因为踏实、力量或是和善而被爱，才是无条件的爱。

🏆 反思：

你本身核心的价值是什么？

幸福圈——释放爱的能量

心理学家唐纳德·W.温尼科特（Donald W. Winnicott）做过一个研究：在母亲身边玩的小孩要比不在母亲身边玩的小孩富有创造力。孩子们在母亲身边一定的范围内，创造力是很惊人的，也可称为"创造力圈"。在这个圈内，孩子们勇于去尝试，跌倒了自己可以爬起来，原因是他们知道那个无条件爱他们的人就在身旁。

成年人由于经历比较丰富，不需要像孩子那样一定要离亲人很近。对于我们而言，只要知道有人在关怀着自己就可以产生同样的安全感。

无条件的爱所带来的力量，给我们建造了一个"幸福圈"。在其中，我们勇于追求有意义且快乐的事情。我们有追求激情释放的自由，它可以是艺术、商业、教学或是园艺，无论最终是否富有或成功。无条件的爱才是幸福的源泉。

如果有人真正爱我，那他/她肯定希望能让我表现出我的核心价值，因为那样才能更好地激发我的潜能，体现自己的价值。

爱情中的意义和快乐——幸福关系的保障

无条件的爱是美满关系的基础，但仅有它还不够，就像无论工作、学校还是家庭都必须同时有意义和快乐才能真正幸福一样。

如果一对情侣为了未来而在一起，比方说可以帮着彼此达成金钱上或是名望上的成就，这种乃是"忙碌奔波型"的关系；还有，两人都认为现在努力工作聚少离多是为了实现快乐的未来，也属于这种情况。有时，为了享受现在也要对将来的利益做出一点点牺牲，因为如果长期只是为了未来而活，这种关系很难长久维持。

而"享乐主义型"追求对象的前提主要考虑的是其中的快乐，把快乐误认为是幸福。"享乐主义型"很容易把欲望当成是爱，他们的快感会慢慢减退，因为没有意义、只求醉生梦死的感觉是无法得到幸福的。

至于那些虚无主义者，他们可能会因为结婚是"应该做的事"而去结婚，也可能因为他们的朋友都结婚了。由于他们对亲密关系没有什么期望，也不会有什么收获和指望，或是想从两人关系里得到些什么，他们只能漫无目的地、不幸

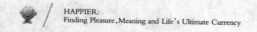

地飘荡在他们的伴侣身旁。

 反思：

回想一下你曾有过的一两段关系——不是亲密关系也可以——它们是属于哪个象限的？它们有没有发生改变？

爱与牺牲——并非并列关系

有时，即使深信跟适合的人在一起可以获得幸福、可以长久的情况下，人们依然可能变得不开心，主要原因可能是来自于对伴侣、孩子或是婚姻的责任感。他们错误地相信"牺牲是一种美德"，但他们忽略了一个要点，那就是：如果只是为了别人而维持的话，迟早只剩挫败与不幸福。开始时也许不觉得，但慢慢地就会发现自己的快乐、意义被伴侣剥夺了；再往下，就会觉得与这个人在一起是迫不得已而不是心甘情愿的，这样的态度会慢慢影响到对方，以致最终对感情绝望，不再有快乐和意义。

就算在双方彼此深爱的情况下，如果把牺牲和爱并列，认为牺牲越大爱得越深的话，幸福也一样会受到影响。

要知道，对方需要你为他/她付出时，无论金钱、时间还是感情，这并不是一种牺牲；当我们爱一个人时，我们会感觉，帮她/他也就是帮自己。像纳斯尼尔·布兰登所提到的："为他人付出是为了让自己生活得更好，这是爱情的重

要组成部分。"

这里所说的牺牲是指一个人放弃自己的幸福。比方说，妻子为了能配合先生海外的工作而放弃一个她深爱的、别处无法找到的工作，这就是牺牲。由于这工作对她有核心价值的意义，是让她有使命感的工作，所以放弃它等于损伤自己的幸福。同一情况下，如果妻子只是请一星期的假来帮她先生完成任务的话，则不算牺牲，因为她并没有放弃任何核心价值的东西，所以也就不会损伤到自己的幸福。再者，由于她和他的幸福是绑在一起的，当其中一人幸福时另一人也会幸福，甚至更快乐，所以帮助对方也就是帮助自己。

当我们很难分辨一个做法到底是牺牲还是有助于双方的成长时，唯一的办法就是在感情中以双方的幸福为标准去衡量一切行为。

两人的关系其实就是一种至高财富——幸福的交易。就像所有的交易一样，在双方都获益的情况下才是一个成功的交易。当其中一人在至高财富上受损时，当他不断地付出以让另一个人得到更多时，结果就会使两人都不幸福。为了能让这个交易成功，我们必须确定双方所得到的是平等的。

心理学家伊莱恩·哈特菲尔德（Elaine Hatfield）专攻情感方面的心理问题，她在研究报告里指出：人们在情感中不喜欢"占便宜"，也不喜欢"吃亏"；当两人觉得感情公平时，两人都会比较满足，而且关系也比较容易维持下去。这并不代表两人需要钱赚得一样多，在这里平衡点不是用几元几角钱来衡量，而是用至高财富来衡量。当然，在任何感情里，一些妥协是无法避免的，有时候为了另一半一些付出也是必然的，但从整体来说，这段关系必须为双方带来幸福，两人必须在结合后过得更幸福。

反思：

有什么样的方法可以使你与你的爱人或是朋友过得更幸福？你们两人如何可以使这段关系为大家都带来更多的至高财富——幸福呢？

被了解，而不是被认可——让爱成长

在美国，将近 40%的婚姻走上了离婚的结局，这个数据对我们维系长久感情的能力不是一个好消息，特别是当我们发现，那剩下的 60%尽管没离婚，但也不一定幸福。这难道是说明人类不适合长期恋爱的关系？答案当然是否定的，就像抑郁症患病率上升的统计数字也不能说明人生来就是不幸的一样。

有时候离婚是最好的选择，并不是所有的伴侣都是般配的，有时他们长期相处下来也确实无法合得来。通常分开的原因是来自于对爱以及爱的表现的根本分歧。大部分的人把性关系当成是真爱，这是远远不够的。只是性的关系，是无法维持长久的。无论一个人的伴侣如何有吸引力，两人之间再怎么"来电"，那些起初的兴奋，以及肉体上的诱惑迟早都是会消失的。新奇的东西对我们的感官确实有刺激的作用——"新鲜感会产生性兴奋"——但双方都互相熟悉之后，这种刺激早晚会消失。

彼此熟悉其实是一把双刃剑：一方面它会使新鲜感降低，但另一方面，熟悉你的伴侣，真正地去认识他，会带来更高的亲密感——通过这种方式，使爱更好地成长，同时带来更好的性生活。

在《婚姻的热情》（*Passionate Marriage*）一书中，性治疗师大卫·史纳屈（David Schnarch）挑战了传统观念中把性仅仅认为是肉体即生理上的能量的观点。在多年对两性关系的研究之后，他证明了性生活是可以变得更和谐的，但前提是我们的目标是基于真正地了解彼此。

史纳屈指出了培养真实亲密关系的方法，那就是注意力必须是放在"想被了解"的心态上，而不是"想被认可"的心态上。自我深刻地探索是保持爱情和热情的必需。我们必须打开心灵，与伴侣分享自己最深刻的需求和恐惧，甚至性幻想和生命的梦想。除了让伴侣认知自己的努力之外，还要试着去真正地认识对方，在此，我们可以去设计一张爱情图，针对的是我们伴侣的世界，一个帮助我们认识伴侣的价值、热情、想法以及期望的指南。

彼此了解是一辈子的事情，我们永远都可以发现和找到更多。这样，两性关系也会变得有趣、刺激以及不断成长。当我们的注意力是想去了解以及被了解时，两人在一起的时间，无论是一起吃饭、照顾孩子或是性行为，都会变得更快乐更具有意义。

反思：

想象一下，有什么方法可以使你的伴侣更多地了解你？还有，你可以怎样去更好地了解你地伴侣？

培养，而不是找寻——让爱持久

一个导致亲密关系失败的原因是，人们误认为去找寻合适的伴侣是重要的第一步。一个美满姻缘的第一要素，以及最有挑战性的事，并不是去找到那一个所谓"合适的人"（我并不相信世界上只有一个真正合适你的人），而是一个你用心培养的亲密关系。

这种把寻找看得比培养更重要的错误观念，有一部分来自于大银幕——许多电影强调的是寻找真爱——那些两人经历了许多困难和考验才能在一起的故事。在电影将要结束时，情侣们终于走在一起，电影在两人热吻下落幕，他们之后也过着幸福美满的生活——或是我们猜想的。问题是，实际生活与电影中的情节有很大的不同，通常爱情电影落幕的时候爱情生活才正式开始。真正有挑战性的往往是从此能否过上幸福美满的生活。

把找到真爱当成是永久幸福的错误观念，很容易就会使两人忽略日后旅程的重要性。想想看，如果你找到了你梦想中的工作、梦想中的工作地点，你会不去努力工作吗？那样的心态当然会带来失败。在感情生活上道理也是一样的：爱情里的有挑战的日子是在感情开始之后。在两性关系里面，值得费心努力"工作"就是用心去培养亲密关系。

我们通过了解和被了解来培养与伴侣的亲密关系。通过对彼此的了解来加深两人的亲密关系——做一些对他/她或对两人都有意义和快乐的事。这样的爱的旅程会坚定我们的信心，并且创造充满爱、幸福和自由绽放的空间。

练习

感恩信——表达爱，加固爱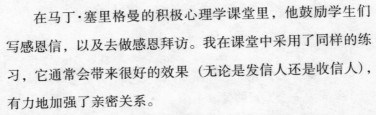

在马丁·塞里格曼的积极心理学课堂里，他鼓励学生们写感恩信，以及去做感恩拜访。我在课堂中采用了同样的练习，它通常会带来很好的效果（无论是发信人还是收信人），有力地加强了亲密关系。

养成给你关心的人写感恩信的习惯，或是给爱人、家人，或是给好友。这并不只是一张感谢的纸条，感恩信所代表的是你在与他人的关系中所获得的意义与快乐，它包括在一起时的快乐时光，以及两人所共享的目标与梦想。

亲密关系专家约翰·哥特曼（John Gottman）说，根据两人解释过去的方式就能测出他们的未来。如果两人注重的是以往的快乐，对过去的快乐记忆深刻，那么这段感情肯定有良好的发展。注重有意义和快乐的经历（无论过去或是现在）都可以稳固并且加强亲密关系。而感恩信所包括的正是突出了亲密关系中的积极面（过去、现在和未来），并起到了进一步加强这些方面的效果。

养成每个月写一至两封感恩信的好习惯，对象可以是伴侣或是任何你关心的人。

完形练习——体会爱，找到爱 ·-·-·-·-·-·-·-·-

下面是一些不完整的句子，用来帮助我们从人际关系里找到更大的爱。它们有些是针对处在亲密关系中的人，有些是针对正在寻找稳定关系的人，有些则是两者都适用的。

相爱代表······

爱意味着······

要成为一个更好的朋友······

要成为一个更好的爱人······

在我的爱情里，如果增加 5% 的幸福······

在我的友情里，如果增加 5%的幸福……

如果要把爱带到我的生命里……

我开始慢慢地发现……

如果我能对自己的需要更负责任……

如果我可以静下来，好好地去体会爱的感觉……

第三篇
有关幸福的冥想

▶ ▷ ▶

第9章

第一冥想：

爱自己和关爱他人——消除自爱与爱他的边界

为别人带来幸福，就是帮助自己带来意义与快乐，这就是为什么乐于助人是幸福人生的一大要素。

教育是我的天分。我在集团里教过总裁，大学里教过学生，还教过问题青年。讲课使我感到开心，它带给我眼前的益处以及未来的益处——快乐和意义。我讲课是因为我想教（因为我爱教），并不是因为我需要教（去满足他人的要求）。

换句话说，我不是一个利他主义者。我所做任何事的最大理由（无论和朋友相聚或是当义工）都是因为它可以让我开心。无论是用理论或是实际行动去解释至高财富，它都是我所有行为的目的。

很多人可能会觉得不安，觉得这是种自私的行为——以自己的幸福、自己的私利为所有举动的出发点。这种不安的来源是一种信念，无论明确或不明确，这种信念是一种道德上的责任感。

伊曼努尔·康德（Immanuel Kant），一个当代最具影响力的哲学家，他告诉我们，如果想使自己的行为带有道德价值，其行为必须是出自于责任感。在只顾私利的情况下，我们的行为其实是没有道德价值的。按康德所说，如果一个人因为高兴而去帮助人（因为那样可以使他开心），那他所做的事是没有道德价值的。

有些哲学和宗教相信牺牲为道德价值的来源。就像康德一样，他们相信，持续地以私利为出发点，最终只会带来与别人利益的冲突；如果我们不与自私倾向斗争的话，我们将

幸福

善意

图 9-1　助人与幸福感

会去伤害他人，无视人们的需要。

世俗的眼光所看不到的是，我们并不需要在助人或自助上作出选择，它们是可以共存的。事实上，就像哲学家爱默生所解释的那样："人生最棒的补偿，就是世上没有任何人，可以在不顾自己的情况下衷心地去帮助他人"。自助与助人是分不开的：帮助别人越多，自己就越开心；自己越开心，就越容易去帮助别人。

 反思：

回想一下你帮助人的时刻，再体会一下那种感觉。

为别人带来幸福，就是帮自己带来意义与快乐，这就是为什么乐于助人是幸福人生的一大要素。这并不能解释成我们要为了别人而活。如果我们不为自己的幸福打算，慢慢地我们会伤害自己，连带着也会伤害我们乐于助人的心。一个不开心的人，就不太容易去善待别人，由此所带来的则是更多的不快乐。

芭芭拉·佛雷德瑞森（Barbara Fredrickson）的研究指出，积极的情绪会使我们的注意力更辽阔。这样，我们就不会只是以狭窄的眼光看这个世界，而会比较去注意他人的需要和期望。事实上，在艾利斯·艾森（Alice Isen）和詹妮弗·乔治（Jennifer George）的研究中证明了：当我们越感到开心时，我们帮助别人的可能性就越大。

我们最大的幸福来自于意义加快乐，而通常其中如果还带着助人的成分，就是锦上添花了。在作决定时，我们必须先问自己，什么能让自己感到幸福；然后再看看我们的行为，是否会剥夺他人追求幸福的权利，如果是，那我们也等于在渐渐地摧毁自己的幸福。如果我们伤害到他人，则我们意识上的倾向、我们内在的正义感，便早晚会让我们在至高财富上付出代价。

一些人执著于道德责任感，总是在牺牲中寻找生命的道德意义——牺牲本身并不快乐（如果快乐，就不叫牺牲了）——结果那道德上的责任感就会慢慢地使快乐与意义对立了。

幸福不是牺牲，也不是从现在和未来中选择其一；它既不是纯粹的意义也不是单纯的快乐，既不是只关注自己也不是无保留地为他人奉献。它是所有能够给我们带来幸福的要素，和谐共生的结果。

练习

善意的冥想——消除助人与自助的界限

进入一个平静的状态，使用第 2 章结尾的"幸福冥想"

练习。

回想一下你曾经善待他人的经历，以及由此而生的成就感。用你心灵的眼睛，对视那个人感激的目光，认真地体会那种感受，并让它具体化。当你再次在心里看到对方并体会当时自己的感受时，试着消除心中自助和助人的界限。

现在去想象一件未来的事，可以是和朋友分享快乐、给爱人买花、读书给孩子听，或是捐赠什么给一个你信任的团体。体会一下在每个经历里你所能得到的深度幸福感。

第 *10* 章

第二冥想：

幸福强心剂——幸福其实很简单

　　一个幸福的经历，可以感染到生活的很多方面。就像暗室里的蜡烛，只需要一根就可以点亮整个屋子。

幸福强心剂

　　一个完美世界里，我们可以天天都做有意义又快乐的事，而在现实世界里，对大多数的人来说，那是不可能的。单身父母为了孩子，无法离开一个高薪但不快乐的工作。因为家里吃的、住的、孩子的教育，是他/她的生活重点。

　　其他一些人，可能有能力短暂地放弃快乐，为的是未来的大目标。比如一个大学毕业生，虽然他不喜欢每周 80 个小时地坐在电脑前，但为了积累工作经历，他还是会这么做。只要他记得幸福才是目标中的目标，他就不会掉进"忙碌奔波型"的陷阱（无止境地耽误自己的快乐），而投入那两三年的时间对他来说就是值得的。

大多数的人都会经历"幸福饥荒"。我从未碰到过喜欢考试的学生，而在最有活力的工作中也会有比较无聊的任务。无论是必需的还是自愿的，我们在生活中总会有无法快乐的时候。幸运的是，这不代表我们要在这些时候放弃任何东西——无论是连续的考试，工作上无聊的内容，或是为了子女而努力。

希尔顿和琳达·豪斯马克的研究指出，追求自我实现的目标——从事对自身有意义的事情——也会影响其他没有直接关联的生活领域："那些能够确定符合自己内在价值和兴趣目标的人，可以更有效率和弹性，以及更有创意地把这些优势覆盖到生活的其他领域。"[1]他们的信心、热情、充实感是会传染的。

具备意义和快乐的行为，就像是暗室里的蜡烛，只需要一根就可以点亮整个屋子。一个幸福的经历，可以感染到我们生活中的许多地方。我将这些虽小但有连锁效应的事情叫做"幸福强心剂"——一些几个钟头甚至几分钟的事，便可

---

① 对于自钱致的目标，我在第 5 章里有更深入的探讨。

以为我们带来意义和快乐，现在与未来的收获。

"幸福强心剂"可以启发并且激活我们，它是一个有激发性的东西。对于某个单身父母来说，他的"强心剂"可以是周末与孩子共处的时光。这种力量可以带着他度过一周，让他在每天早上起来时感到一种使命感，给他活力，让他在工作上表现得更加出色。而对于某个毕业生来说，每周两小时做社区服务，加上每周和朋友相见一次，可以帮助他快乐地度过那历时两年的乏味工作。

我最近邂逅了一个做顾问的朋友，五十多岁，他说现在已经不再喜欢这个工作，但他又不愿意放弃。他和家人长期以来对现状有了惰性依赖。我介绍了"幸福强心剂"这个方法给他，他欣然接受了。现在，他每周至少花两天的时间和家人共处，每周至少打一次网球，以及每周花三小时阅读自己喜欢的读物。他还参加了他高中时学校的董事会，期望能为下一代带来更好的教育。就像他之前从不缺席与客户约谈一样，他现在绝不会缺席与家人共处的时间、学校的董事会或是给自己时间。他给我的反馈是：他已经好久没有这么开心了。

🐚 反思：

你的"幸福强心剂"是什么？什么样的活动可以让你感觉焕然一新，并且带给你意义与快乐？

让改变更容易——从"小尝试"到"大行动"

"幸福强心剂"还可以帮助我们度过困难的转变期，比如，即使我们认识到了改变的必要性，改掉旧习惯也是很困难的。17世纪英国诗人约翰·德莱顿（John Dryden）说过："我们养成了习惯，然后习惯造就了我们。"如果我们选择了忙碌奔波的习惯（从年轻时就开始），则想要摆脱它是十分困难的。同样的，享乐主义的生活具有毁灭性，会让人上瘾，变得很难摆脱。如果想把生活改变得更好，一个比较容易和简单的方法，就是使用"幸福强心剂"。

从小事情着手比大幅度改变的阻力要少得多——无论是对当事人，或是他的家庭、同事、身边的朋友。比方说，从商业界直接跳到教育界之前，可以先每个星期去校区做一天义工，看看教育是否真能带来现在与未来的收获。如果不是，那大可以把心思放回炒股票什么的上面。只要勇于尝试，在不冒太大风险的情况下，"幸福强心剂"确实有帮助我们找到幸福感的功效。

空闲时间的价值——另一个幸福的机会

人们都希望天天幸福。当然，这很难做到，多数人都会把享受的事放在晚上或周末。但大家经常犯的一个错误就是：真正到了那个时候，我们不是什么都不做，就是整天坐在电视机前。在许多人那里，与其积极地去追求幸福，毋宁做一个暂时的享乐主义者。在无思绪的情况下，人们更容易睡着，这样一来，更容易说服自己的一点那就是"我太累了"。相对的，与其什么都不做，为什么不去找一些有挑战性的事呢？这样可以带给我们新的力量。就像玛丽亚·蒙台索利（Maria Montessori）博士所说的"完成一项令人愉悦的任务才是最好的休息"，"幸福强心剂"所能带给我们的，除了幸福之外，还有更旺盛的精力。

练 习

增强幸福感——找到改变生命的动力

按星期列一张"幸福强心剂"的表单，然后照上面的去做。它们可以包括一些日常的事情（和家人或朋友相聚、阅读等等），以及一些有新鲜感可能改变生活的事情（比如说去学校当义工），然后看看这些事情能不能成为改变生命的动力。还有就是，最好能把这些活动养成习惯。

第 *11* 章

第三冥想：

超越短暂的快乐——让时间成为幸福的看守者

我们可以得到的幸福是无限的，不是树叶那般短暂的美丽，而是根深蒂固那般永恒的幸福。

我妻子泰米对幸福的高度和深度进行了区分："幸福的高度是指我们生活中体验到的情绪的波动，它有高潮和低潮；幸福的深度则指我们内心深处基本的幸福感。"比如，"忙碌奔波型"的人在成功后的喜悦是短暂的，这不会影响他整体的幸福指数。幸福的深度就像是树根，提供养分，是生命的支柱。幸福的高度则像是树叶，美丽而有魅力，但生命却是短暂的，会随着季节而改变直至枯萎。

幸福感应是命中注定的

许多心理学家和哲学家常常发问：幸福的深度是否能改变？还有在至高财富的某种层次上（高度），是不是一定会经历一些波折？

马克斯韦尔·马尔茨（Maxwell Maltz）在他的经典作品《心理控制论》（Psycho-Cybernetics）中叙述了一种类似温度表的内在装置，其功能是测量以及控制我们的幸福指数。对大多数人而言，这种仪器的设定在一生中不会有太多改变偏差、过高或过低都会很快地被修复，使我们能回到幸福的境界。当然，好运来时我们自然会很高兴（例如中大奖或是找到梦想的工作），而不如意时就会悲伤（当我们失去什么时）。但这些情绪都不会停留太久，好与不好，我们幸福的深度不会改变，而且很快地我们就会回到之前的安定感。

在著名的"明尼苏达双胞胎试验"中，同卵双生的双胞胎有相同的个性特征，连同其他试验，证明了他们的幸福深度也相同。由于这个原因，许多心理学家认为，人们的幸福指数是由基因所影响的。另外一种说法则认为幸福指数是儿时的经历生成的——成年以后就很难再去改变。心理学家大卫·莱肯（David Lykken）和奥克·泰利根（Auke Tellegan）的结论是："追求幸福就好像是成年人想要再长高一样，是一种适得其反的行为。"

这类的结论，把我们的幸福感解释成预定的形态，其实
是在误导。他们忽略了太多可以改变幸福感的因素，忽略了
人们可以变得更快乐的潜力。比如，一个天才的心理治疗师
就可以帮助人们去找到更多的至高财富。通过认识一个新朋
友、阅读书籍、欣赏艺术品或是想到一个新思路，都曾经让
许多人生活变得更美好。

 反思：

什么样的经历或是什么人在你的生命中带给了你幸福？

虽然天生的因素对幸福感有一些影响（有些人的性情天
生就比较积极，有些人则比较悲观），我们的基因只能解释
成是一个范围，而不是一个设定值。坏脾气的人可能无法像
幸福的人一样去培养看待生活的一些态度，天生就怨天尤人
的人可能永远无法把自己转变为一个盲目乐观的人，但所有
人确实都可以变得比原来更幸福。而大部分的人在追求幸福
上面都没有发挥真正的潜能。

在一个关于幸福文献的回顾中，桑娅·吕波密斯基、希
尔顿和大卫·施卡德（David Schkade）说明了人类的幸福感
主要取决于三个因素：遗传基因、与幸福有关的环境因素以
及能够帮助我们获得幸福的行动。我们对于基因当然是没法
控制的，对于事件的发生也没有太多的掌控权，但在行为和

练习上则有着决策的力量。这个因素，照吕波密斯基和他同事所解释的，是"增强幸福感的最大因素"。追求有意义和快乐的事，可以明显地加强我们的安宁感。

冲破幸福数据的误区

那些认为幸福深度是固定值的心理学家都犯了一种通病，他们拿大部分人群的资料作为证明，而忽略了那些与众不同的少数人群。就连在"明尼苏达双胞胎试验"里，也有幸福程度不同的双胞胎；在另外的研究中并不是所有人（100%的研究对象）在经历特殊事件后都回复到原来的幸福指数。

通常结论只是一种模糊的、大概率的表示，不代表一定或者完全的事实。往往是那些通常范围之外的人为我们指出了真相和光明的道路。这些人在他们的一生中越来越幸福，破除了那种认为幸福感是难以改变的误解。所以现在的问题不是可不可能，而是怎么去做。本书没有完整的答案，但肯定有一部分的答案。将注意力从物质和名声的财富转向至高财富的人，绝对可以提升他们幸福深度的品质；同时，追求现在和未来益处的人，长此以往肯定会越来越幸福。

幸福深度无可改变的说法不止是误导，它还有潜在的危害性。如果有人被误导，相信无论他再怎么努力都不可能改变幸福深度，那他自然就不会去努力了。同时，他也会慢慢地把这种想法当作理所当然的了。更糟糕的是，由于他相信情况是无法改善的（虽然是建立在错误的观念上），他的人生将充满无助与绝望，他终将成为一个虚无主义者。

还有一点，有时在追求至高财富的过程中，我们所问自己的问题也会无意中误导自己。在写这本书、阅读他人的作品、思考至高财富的问题，以及观察我身边人们的行为时，我经常会问自己："我开心吗？"其他一些人，特别是关心我的人，也问过我这样的问题。这个问题虽然很有意义，但我经过仔细思考之后，发现这个问题的帮助并不大。

我如何可以知道我开心与否呢？何时我才能开心呢？有没有一种共同的幸福标准？如果有，我怎样才能知道？它是取决于我和其他人的幸福对比吗？如果是，我怎样才能测量他人的幸福指数呢？其实，这些问题并没有一个可靠的答案，就算有，也不一定能使我更开心。

"我开心吗？"这是一个客观性的问题，而它建议的则是一种平面的幸福追求方式：要么就幸福，要么就不幸福。根据这种方法，幸福就成了一个"步骤的结局"，一个有限和可以定义的东西，而且在得到幸福后我们就不能再继续追求了。事实上，这种终点并不存在，如果相信它存在，只会带来不满和产生虚无主义。

我们都会有自己天生的个性（像开心快乐或脾气暴躁），我们没有能力控制外来事件，我们却有掌控自己时间的权力。如心理学家、诺贝尔奖得主丹尼尔·卡尼曼所说："对于加强幸福感，适当地运用时间可能是最重要的了①。"大部分人之所以无法发挥追求幸福的潜力，主要是因为时间运用不当——忙碌的奔波、坠入享乐主义的深渊，或是放弃自己而成为一个虚无主义者等等。在有些时间里，其实包藏了很多幸福的潜力以及一个充实生命的可能性，如果能善加利用，时间就会成为幸福的看护者。

我们追求幸福的努力应该是永无止境的、不断收获和成长的过程，我们可以得到的幸福是无限的。在追求有快乐和有意义的工作、学业和情感时我们只会更加幸福——所经历的不是树叶那般短暂的美丽，而是根深蒂固那般永恒的幸福。

练习

欣赏式探寻——由幸福的经验到更幸福的未来

自 1980 年起，大卫·考波瑞德（David Cooperrider）和他的同事们，一直都在致力于一项对个人和企业有革命性的改变方案②。与其关注什么是无效的——像大部分干预计划

---

① 对于自我一致的目标，我在第 5 章里有更深入的探讨。

② 欲了解更多有效的干预方法，请访问 http：//appreciativeinquiry.case.edu/

和顾问咨询所采用的方式，毋宁像欣赏式探寻所注重的，明确什么是有用的，然后在这些方面作出努力。他们的方法是有意识地去认可有价值的东西，并且加强它的价值（和经济原理一样）。对积极的东西心怀感激，可以使我们更开心，也会加强我们去扩大它的意愿。我们需要做的是，以过去的积极经验激发现在和创造更好的明天。

你可以自己完成这个练习，但我建议最好是和一个同伴或是一个小组一起。在和其他人一起做的时候，大家应该轮流发言，告诉他人在过去是什么使你幸福过——十年前，上个月或是当天早上，它可以是一顿美食，和家人相聚的某个晚上，工作上的某个项目或是你去参加的一个演唱会。仔细地解释一下，是事情本身还是你在其中和他人的共同经历让你感到幸福？是因为它带给了你挑战性，还是你看到了什么神奇的事情？

最后，请自问怎样才能从你所学到的东西里（你个人的经历和与他人的经历），给你的未来以启示？写下一个可以让你更幸福的承诺，然后与跟你一起做练习的人分享。

第 *12* 章

第四冥想：

用自己的光去照亮世界

——幸福的最大障碍是我们自己

　　如果我们觉得自己没有资格获得幸福，那么很自然，我们追求幸福的能力就会减弱。

　　我们追求幸福的能力是天赐的，没有任何人、宗教、思想或是政权可以把它夺走。明白这个道理的国家，建立了自己的政治体系，如宪法、法庭、军队等，来保障我们可以自由地追求幸福。在追求幸福的过程中，我所发现的最大障碍就是，我们自己内心的障碍——那种觉得自己配不上幸福的错觉。

　　我在书中所提到的幸福理论（我们生活中所需要的快乐和意义），还不足以保证永久的幸福。从某种程度上，我们可能觉得自己没有资格获得幸福，那么很自然，我们追求幸福的能力就会减弱。我们有时会忽略一些幸福的来源，我们有可能会去注重一些不幸福的事情，我们还可能会做一些威胁自己幸福的事，会去想那些不开心的往事。

许多人明知道什么工作可以带来至高财富，却依然要去做自己不喜欢的工作；许多人在不良的关系里宁可自己孤独绝望，也不去用心找一个可以分享生活的伴侣或是与当前的伴侣去培养幸福的关系；有些人的工作既快乐又有意义，但还是找到不开心的理由；有些人有着美满的关系，却自己把它给破坏掉。以上的这些事情，我都曾做过。

人为什么会剥夺自己的幸福呢？玛丽安·威廉姆森（Marianne Williamson）在《爱的回归》（A Return to Love）一书中说：

我们最大的恐惧不是觉得自己不行。我们的恐惧来自于害怕自己的潜能，因为它远远超出我们的想象力。我们最怕的是自己的优点，而不是缺点。我们常问自己："我们凭什么觉得自己是杰出的、美丽的、有能力的或是才华横溢的？"但真正应该问的问题是："为什么不呢？"

为什么我们不能开心呢？为什么优点比缺点恐怖呢？为什么我们会觉得我们不配得到幸福呢？

我们追求幸福的阻碍有外来和内在的两种因素，以及文化背景的不同和心理学界的偏见。在我们的基本意识里，那种追求幸福的基本权利意识，那种高贵而珍贵的追求，受到多方面想法的质疑和诋毁。在许多文化传统里，认定了人类天生就是邪恶的，说人类崇尚破坏和杀戮，说人类是无可救药的，就如哲学家托马斯·霍布斯（Thomas Hobbes）所说的"孤独、贫困、恶心、暴力"。谁会赞同让这些"野兽"得到幸福？由于这些说法，也难怪我们会感到黑暗要比光明更适合我们了。

这些错误的观念其实也不全是从传统中所习得的。我们很多人的障碍是自生的。当觉得我们不配幸福时，我们很难去感受到生命里那些美好的事物，那些带给我们幸福的事物。由于我们不相信那些是应得的，不相信那是我们所有的，我们才会害怕失去它们。这些恐惧感所引发的行为制造了一种会自动实现的咒语：我们害怕失去，却导致真正的失去，而我们感到不配幸福则会制造出真正的不幸。

一个害怕失去的人通过让他自己变得真的没什么可以失去的来保护自己，由于当我们开心时我们有很多东西是可以失去的，所以为了避免开心时会失去，我们不再去争取让自己开心。我们为最坏的情况而担心，所以从一开始就把最好的已经排除掉了。

就算可以找到幸福，我们还是可能会为了别人的不幸而感到惭愧。一种错误的暗示性的想法就是：幸福是有限量的，如果我得到了，别人就得不到了。威廉姆森说："当我们让自己的光芒闪耀时，我们会不自觉地感召他人也来加入这个行列。当我们从自己的恐惧中解放时，我们充满朝气的变化自然也会解救他人。"所以当我们把自己从无法幸福的想法中释放出来后，我们才可以真正地帮助其他人获得幸福。

内在的价值感——与生俱来的幸福权力

一种幸福的生活需要内在的价值观支撑，像纳斯尼尔·布兰登所写的："要想找到价值，人们必须相信自己有资格去享有这种价值。要想为幸福而奋斗，人们必须相信他自己配得上幸福。"我们必须接受自己的核心价值，接受真正的自己，把虚荣的东西抛开。我们必须相信幸福是应该得到的，我们必须相信我们的存在是有意义的，因为我们生来就带有享受快乐和意义的权力。

当我们不接纳自己与生俱来的价值时，我们其实是在渐渐地破坏自己的能力、潜力、喜悦和成就。比如说，我们可能会使用"是……但是……"这个句法："是，我的生命里有快乐也有意义，但是如果它们无法持久呢？""是，我热爱我的工作，但要是我像以前一样，又感到厌倦了呢？""是，我找到了我的真爱，但是，她会离开我吗？"拒绝接纳已来临的幸福，只会带来不幸福，而长期的不幸福，带来的则是虚无主义的诞生。

✿ 反思：

是否有任何外来或是内在的因素，在阻止你追求幸福呢？

在我们能够接收到一份礼物之前，无论这礼物来自朋友还是大自然，我们都必须事先有接受它的意愿；一个盖着盖的水壶是无法装水的，无论你再怎么努力，再怎么尝试，水只会从外面流下去，而不会灌满水壶。内在的价值感是一种去接受的态度，一种去接受幸福的态度

练 习

完形练习——跨越幸福的障碍

以下是一些未完成的句子，用来帮助你超越一些有可能阻碍你获得幸福的障碍：

妨碍我追求幸福的东西是……

再多 5% 地去感觉自己是值得拥有幸福的……

如果能更深地认识到我们是有资格获得幸福的……

如果我拒绝依照别人的价值观去生活……

如果我成功了……

如果我给自己快乐的许可……

当我对自己感到满意时……

要为我的生活多带来5%的幸福……

我开始渐渐地发现……

持续地做以上和之前的句子填写练习（无论是本书还是布兰登书中所列出的）。这些简易的练习，可以在洞察力和态度改变上带给你惊人的结果。

第 *13* 章

第五冥想：

想象幸福——你本知道答案

100 岁的人有更多的经验,在生命中并没有捷径可以更快地得到这些经验, 但其实有很多 100 岁的人有的智慧,我们在 50 岁或 20 岁时就已经有了,问题在于我们是否能意识到。

当你 100 岁时。诞生了一部时光机,而你则被选中做首次试用。发明人是美国航空航天局 (NASA) 的一位科学家, 他告诉你说: "你将会被传送到你读《幸福的方法》的那天, 而你, 这个有智慧而人生经历丰富的老人, 只有五分钟的时间, 去和那个经历浅薄、年轻的自己交谈。"试问, 你在见到"他"后会说什么? 你会给他什么样的建议呢?

我之所以想出了这个试验, 是因为我看了心理医生欧文·雅洛姆（Irvin Yalom）有关晚期癌症病人的记录：

在与死亡抗争的过程中，许多病人进入了一种境界，而这种境界要比他们在生病前丰富得多。许多病人感到自己对生命的看法有了重大地改变。他们不再看重琐碎的事情，重新找到了生命的控制权，放弃去做他们不愿意做的事，加强了与家人及朋友之间的沟通，全然活在当下，而不再是过去或是将来。当一个人的注意力从琐碎的假象里移出时，一个对身边环境更加感激的心就诞生了：季节轮回、落叶、那最后的春天、特别是他人的爱。我们不断地听到病人们说："我们为什么要等到现在，等到得了癌症之后，才能真正学会重视与感激生命？"

在众人的叙述里，最令我感到震撼的是：他们在得到噩耗之后，才开始充实地生活。他们还是一样的人——对生命有着一样的知识，对问题有着一样的答案，对事情有着一样的认知，对亲人有着一样的情感——并没有人从西奈山下来教他们如何去生活；也没有希腊的先知来教他们幸福生活的秘密，没有医生给他们什么强心剂之类的东西，他们更没有去读什么励志的书籍。

但是，带着他们长久以来一直具有的能力（之前却无法使他们快乐），他们的生命改变了。他们并没有学到新知识，却发现了一些他们向来都拥有而没发现的东西。换句话说，他们有着如何能更快乐生活的知识，而他们之前却忽略了，或是在神智上没有意识到。

时光穿梭的试验告诉我们，生命是何其的短暂与珍贵。当然，100岁的人有更多的经验，在生命中并没有捷径可以更快地得到这些经验，但其实有很多100岁的人有的智慧，我们在50岁或20岁时就已经有了，问题在于我们是否能意识到。萧伯纳（George Bernard Shaw）风趣地说："人类的青春不应该浪费在年轻人身上"[1]。

反思：

你是否曾经碰到过一些事使你改变了你的生活？你是否按照你的洞察力或是知识去做了事呢？

其实无论是哲学、心理学或是励志书籍，都无法在至高财富的知识上教我们更多新的东西。通常，老师或是一本书，能帮助我们更清楚地去了解一件事，去更熟悉一件我们已经知道的事。最终，我们的进步、我们的成长和我们的幸福，却是来自于我们面对自己、以及向自己提问的能力。

---

[1] 乔治·萧伯纳，诺贝尔文学奖得主，曾经说过："年轻时的青春总是被学杂费掉了。"

练 习

你内在智者的建议——引领你自己

　　做以上所提到的练习，想象一下你已经 100 岁，或是比你现在老很多。给自己 5 分钟，告诉自己（写出来也可以）如何才能在生活中得到更多的幸福，时间就从现在开始。也可以写出来，然后尽可能地去把希望改变的事项养成习惯。打个比方，如果你希望自己变老后要和家人多多相处，那就现在给自己安排一些和家人一起活动的事情。

　　经常去做这个练习，看一看自己所写的，如有需要添加的就添加，然后反馈一下，看看自己是否按照那个"智者"所建议的去做了。

第 *14* 章

第六冥想：

从容生活——多余的忙碌是幸福的威胁

一个坏消息是，世界上没有魔法，我们只能简化忙碌的生活，才能享受幸福；而一个好消息是，简化生活并不会影响我们成功。

写这本书的过程对我来说是有意义又快乐的一个过程。但其中有一段时间，大概是 2006 年夏天的一两个月，我当时忽然不想再写书了，觉得写书是一种苦活，缺乏灵感和享受。为什么会这样？因为当时我忽然发现，我缺少了一样东西——时间。

那个夏天，我正在为 7 月 1 日（约定的日期）给出版社交稿做最后的修订，同一时间，我也在全国奔波，忙碌在各种工作坊和演讲会之间。虽然是从事我喜爱的事：教书、写作——通常都会带给我意义和快乐，但我由于手上太多事情而威胁到了自己的幸福。

事实上，许多人都犯了同样的毛病，而这个事实刚好可以解释丹尼尔·卡尼曼的研究。在他的研究里，女性需要去写出前一天所做的事情，然后对那些事情作出评价。这些女性写的事项有饮食、工作、照顾孩子、购物、交通、社交、亲密关系和家务劳动等等。结果她们在总结中最意外的发现是，妈妈们并不能享受和孩子在一起的时间。

卡尼曼作品的合著者之一，诺伯特·施瓦兹（Norbert Schwartz），解释了以上研究中一个违反直觉的结果：当人们被问到，是否享受与孩子在一起的时间时，他们第一个想到的是相处时的快乐时光，如讲故事给孩子听或是去动物园等等。但他们没有把另一些事情考虑进来，比如孩子哭闹、惹人烦躁的时候。无可置疑，大部分家长喜欢带孩子的经历（甚至认为这是他们生命中最有意义的事），但由于私人时间的减少，快乐成分的减少，使得他们的幸福感受到影响。手机、电子邮件和其他"现代资讯"（现代生活的复杂）都会使原本有意义和快乐的事情变得有紧迫感。"当多个任务同时需要我们分配时间的时候，我们很难专注当前的活动，这也就影响了我们享受生活的能力。"

时间压力是很普遍的，有时甚至成为整个社会压力增加的原因。我在大学教书六年里曾经扮演的一个角色，就是帮助学生们创造出一张更辉煌的简历。有一点让我感到十分惊讶的是，每一年学生的成就都比以往的更好，至少在书面上看起来如此。起初，他们的成就让我印象很深刻，直到我发现了他们为了简历上更多更小的字以及更高的名衔在精神上所付出的代价。就像在本书开头时我所提到的研究，有45%的大学生感到沮丧，这其中有94%感到"无论我们做什么事，都有被压得透不过气来的感觉"。

人们通常都太忙了，总是希望能把更多的事情挤进更少的时间里。其后果是，我们忘了对身边的事以及对至高财富的感恩，忘了享受它们，比如我们的工作、课程、一段音乐、身边的景色、我们的心灵伴侣，甚至我们的孩子。

🍥 反思：

在什么领域里，你会因为时间压力而感到幸福感的消减？

在这个快速、忙碌奔波的世界里，我们要如何才能多享受一下生活呢？关于这个问题的答案，有好消息也有坏消息。坏消息是，这世界上并没有魔术，我们只能简化生活，只能自己减速；而好消息是，简化和减速这样的举动并不会影响我们成功。

简化生活，学会说"不"

梭罗在 19 世纪时曾经劝告过与他同时代的人，去减少他们日常生活中的复杂性："简化！简化！简化！做两三件事就够了，而不是 100 或 1000 件事；与其数到 100 万，数到半打就够了。"由于我们现在的生活越来越复杂，做事情分秒必争，所以梭罗的话运用在今日社会里就更贴切了。

时间是有限的，而在有限的时间里有许许多多必须做的事在减少我们已经短缺的资源。超负荷地忙碌，加上日常的压力，导致了我们在生活中很多的不快乐。研究者苏珊 (Susan) 和克莱德·亨德瑞克（Clyde Hendrick）指出了简化对于感情生活的重要性："如果我们可以帮助人们去简化生活，帮助他们降低压力指数，那他们的关系（包括爱和性）肯定会大幅度地改善。同时，他们生活中的积极心态也一定会放大许多。"

心理学家蒂姆·凯瑟（Tim Kasser）研究指出：时间上的富裕比物质上的富裕能给人更多的幸福感。时间上的富裕，代表的是人们有更多的自由时间去追求对个人有意义的事情，有更多的时间去反思，以及去享受快乐。相反的，时间上的贫困给人的感觉是经常性的压力、忙碌奔波、工作过量，以及落后。我们需要做的是看看周围（通常是自身的），就可以发现，在今日社会里时间短缺是普遍问题。

要想提高我们的幸福感，除了简化生活之外，是没有任何其他方法的。这代表着去"保卫"我们的时间，学会怎么去说"不"（无论是对事还是对人）是一件不容易的事。它代表着排序，以及选择自己真正想做的事，与此同时，我们也要学会放弃其他一些琐碎的事。幸运的是，做得少不代表就做得不好。

少变多——少做点事反而可以带来更多

本书中强调的一个重点是：成功与快乐是可以共存的。我经常会去挑战"无苦无获"这个格言。当然，在成长中会有一定的"苦痛"（比如说肌肉疼痛或是个性上所带来的痛），但如果因此说无法快乐并且完整地成长，就真是有点荒唐了。比如说，沉浸的体验就解释了高峰体验（享受自我）和高峰表现（完全地发挥自我）是有关系的。沉浸体验是要以事情既不太难、也不太容易的情况作为前提的。同样的理念也可应用在时间管理上。

特里萨·阿玛布勒（Teresa Amabile）在其《哈佛经济学回顾》中的文章《枪口下的创造力》（Creativity Under the Gun）里，破除了以往"必须是有压力的工作才能带来出色结果"的传统理论，指出："枪口下的创造力，通常都会遭到枪毙的命运。虽然时间压力会使人们做得更多，也可能会让他们感到更有创意，但事实上，压力下的思路通常创造力水平都是比较低的。"当然，努力工作是成功的必要因素，但如果太拼命工作，却会带来相反的效果。

时间压力会带来挫折，而当我们感到挫折或是经历其他的负面情绪时，我们的思路会变得狭窄、短浅、渺小以及缺乏创造力。阿玛布勒的发现证明了人们对这个事实缺乏了解，他们通常会认为，压力越大，创意就越强。这也解释了为什么逃出压力的魔掌会这么难，因为这就是典型的"忙碌奔波型"——对创造力的误解造成了持续的压力。

阿玛布勒说明了一个叫做"压力宿醉"的现象——受损的创造力在压力过后仍然还保留着，到第二天，甚至渗透到以后的日子里[①]。当我们同时做太多的事情，我们所威胁的是自己完整成长的机会，无论是算得出的成果还是在至高财富上的损失。像超级企业家约翰·皮尔庞特·摩根（J.P. Morgan）所说："一年的工作完全可以在 9 个月里完成，但不能 12 个月都工作。"有时候，少做一点事情反而可以带来更多。

虽然我们可以在单个活动上找到快乐，但在整体上有时仍然会感到失落。即使是世上最好吃的美食（比如说巧克

[①] 阿玛布勒找到了一个例外：当一个人面对单一任务，感到使命感和紧迫感时，这种压力可以为他带来更好的灵感，以及更高的效率。这也解释了阿波罗 13 号的成功。不幸的是，在今日的公司里，时间压力通常会和太多工作放在一起，欠佳的注意力带来的是欠佳的表现，阿玛布勒同时也指出，在现代的企业里很难找到从事紧急或重要工作的人是不被时间压力所困扰的。

力、千层饼或是汉堡），在狼吞虎咽的情况下无法尝到其中的美味。做事的道理也是一样，无论再怎么"好吃"，如果我们吃得太快或是太多的话，东西就会变味了。数量会影响质量，好东西也是会过量的。

品酒专家绝不会一口把葡萄酒喝完；要尝试其中的美味，需要先闻一下，然后慢慢品尝，这是需要时间的。想成为生活的鉴赏家，去享受生活点点滴滴的美好，也是需要时间的。

练 习

简化——给幸福以专注

回到第 3 章的练习——"人生路线图"。如果你还没有完成或是早就做完了，写下你在过去一两周里做的事。回顾自己的路线图，然后回答以下的问题：我可以简化哪部分？我可以放弃什么？我是否花了太多的时间在上网或是看电视？我是否可以减少工作上的会议次数，或是缩短开会的时间？我是否对一些可以说"不"的东西说了"好"？

定个计划以减少多余的忙碌。另外，在你要做的事情上，在那些带给你意义和快乐的事情上，给予它们你最大的注意力和努力，如和家人相处、致力工作上的某个任务、园艺、冥想、看电影等等。

第 *15* 章

第七冥想：

幸福的革命——拯救现代"幸福大萧条"

　　一根蜡烛可以点燃一千根蜡烛，而它的生命却不会受到任何影响。幸福是不会因为分享而减弱的。

　　科学上的革命数不胜数。在农业上，农民不再向雨神祷告，而把精力都放在耕种上面；我们现在有能力让世界上的每一个人都吃得饱，虽然这还没有实现。在医学界，我们从巫医的草药进步到了青霉素，平均寿命从中古时期的 25 岁提高到了今天的 70 岁。在天文学方面，臆想中的骑在乌龟背上的平面地球，变成了一个圆的绕着太阳转的行星；人类踏上了月球，而且还不断地在扩大我们的边界。

　　因为有这些结果，所以人类自然而然地对科学充满着信心，科学甚至已经成为了现代世界的新信仰。但仅只是科学本身还不足以解决我们所有的问题（个人的或是社会的），而我们对科学无所不能的信任，也产生了一些新的挑战。其中一个挑战就是科学所带来的副产品——"物质至上"的观念。

在现代世界大部分的角落里，科学的革命排除了神秘的东西（比如"雨神"、巫医，或是巨型乌龟等等），但随着这些神秘的东西被排除，连非物质和无法以数计算的东西，也都被排除了。而幸福和灵性——有着密切关系的两样东西[1]——由于是非物质的东西，导致在今日社会里失去了它们的重要性。"物质至上"的观念，带给人们的是对物质的疯狂索求，以及随之而来的不幸福。一种可以取代"物质至上"的观念，是"幸福至上"的观念——把物质财富放到第二位。

幸福的意义——追求幸福是人类最高的目标

幸福的意义在于，要把幸福视为至高财富以及所有目标中的目标。幸福并不是要我们去排除物质上的东西，而是把它从生命的第一位移开。亚里士多德在写出"幸福是生命的

---

① 研究发现了灵性和幸福的关系。例如 Emmons,R.A.and Mccullough,M.E. (2004).The Psychology of Gratitude.Oxford Uniwersity Press.灵性通常会和宗教连在一起，但它不一定必须是宗教的东西。在第3章我强调了灵性和意义的关系；一个对于自身行为感到重要又有意义的人，更容易感受到灵性意义，而比其他人更幸福。

意义和使命，是我们的最高目标和方向"时，已经把他的观点表露无遗了。同样的，一位僧侣也说过："无论一个人是否有宗教信仰，无论一个人信的是什么教，我们生命的真正使命就是去追求幸福，我们生命的每一个举动都是在往幸福之路前行的。"幸福是我们生命的衡量标准（我们所认为重要的东西），它对我们本身甚至整个社会都有极大的影响。当我们意识到并且将幸福作为至高财富时，我们才能享受真正的安宁。

当我们生命的目标是追求意义和快乐（对幸福的理解），而不是如何去赚更多钱或是更高的名声时（对物质的理解），我们自然可以从人生旅途里获得更多。今日社会的一个现象就是，由于普遍受到"物质至上"观念的影响，太多人在问自己的问题时都问错了方向。学生们想的是怎么才能从学校里获得更多日后可以赚大钱的知识；选择工作时，人们的重点只是放在钱的多少以及升职的可能性上面。如此，也难怪压力指数会不停地上升了。

对幸福的理解引导我们去问这样的问题："什么才能使我快乐？"重点是找出三个中心："什么对我有意义？""什么带给我快乐？""我的优势是什么？"幸福是去问自己："我的使命感是什么"以及去发掘我们在学校里、工作中和生活上真正想要做的事。当这些问题成为我们常问自己的问题时，我们获得至高财富的机会自然就会高多了。

一场和平的革命——内心的拯救

我相信散播对幸福的理解可以为整个社会带来一场革命，这场革命不需要任何外来的力量，也没有任何外来的力量具备这个能力，它是一个理智的选择（选择去认可幸福为至高财富），也就是选择去追求幸福。幸福革命的成功，取决于人们认可它的时间（无论是理论上还是实际行动）以及是否把它看作至高财富。虽然大部分人在理论上都认同这一点，但实际研究显示，大多数人还是被"物质至上"的观念所笼罩。对幸福的理解，可以将我们从现代"大萧条"里拯救出来。它对于社会的提升绝不仅仅是提高人们的幸福感。

如果大部分人可以从"物质至上"观念转变成"幸福至上"观念，会是怎样的一个情况呢？首先，嫉妒感在个人和社会的层面上将会大幅度下降。在一场关于领袖学的讲座中，一些人指出了职场里的人与即将要被煮来吃的螃蟹的相似性。当一只螃蟹想从锅里爬出来时，其他螃蟹会把它拉回去，并不是因为这样可以使它们自己逃生，而是它们不愿意在自己被烫死时看到其他螃蟹死里逃生。那种需要打击其他人的观念，来自于今日社会错误的价值观，一种认为物资是有限的错觉，例如一个人的成功就必须代表着另一个人的失败，也就是此长彼落、彼长此落的想法。

更广泛地说，如果"幸福的革命"成功，个人以及世界的纷争将会减少很多。战争大部分是为了土地、石油、黄金或是其他物质上的东西。这些发动战争的国家领袖误解了一点，那就是他们国家的（以及他们自己的）至高财富乃是物质上的富裕。

对"物质至上"的坚持，确会带来个人与国家之间的纷争，因为物质上的东西确实有时是有限的。制止纷争的唯一可能性，就是让双方都发现幸福才是最重要的事情。由于幸福主要依靠的是内在而不是外来的东西，所以在追求幸福的过程中是不会有任何纷争的。幸福的资源不是以数字计算的，一个人或是一个国家的幸福感，并不会影响到其他人或者国家。对幸福的追求，产生的不是数字游戏，人人都可以更幸福。就像佛祖所说的："一根蜡烛可以点燃一千根蜡烛，而它自己的生命却不会受到任何影响。幸福是不会因为分享而被减弱的。"与物质的东西不同，幸福是无限的①。

抑制个人与国家间的纷争，并不是和平主义者的使命；只注意短期的和平而忽视长远的危机，并不会带来任何幸福或是真正的和平②。一个被攻击的人或是国家只知道去跟对方说"幸福才是至高财富"的道理是没有用的。幸福这种舞

① 虽然我不认为物质财富的交换和积累是一个"零和游戏"，资本主义已经说明价值和财富是可以创造的，但所谓的物质认知指的是把物质财富的获取看作互相争夺的结果。

② 和平主义虽然出发点很好，但通常带来的是更大的损失无论是生命上还是至高财富上的。就像丘吉尔所说："今日妥协所换来的幸福，将要用明日更大的损失以及后悔来弥补。"

蹈是要两个人一起才能跳的。

反思:

　　无论是实际行动还是理论上,你要做出什么样的改变才能使自己更接近幸福之路?

　　"幸福的革命"不需要外在的改变,它是一场全程内在的革命。它不需要几百万人为它抛头颅、洒热血,而是一场理解上的革命,使自己能摆脱物质的迷惑、追求真正的至高财富。"幸福的革命"指的是创造一个新社会——一个广泛的改变,使整个社会对我们的存在有更高、更清醒的认识——幸福的认知。如果有更多的人能意识到幸福不是一个"零和游戏",意识到追求幸福并不会引起纷争,意识到追求幸福以及帮助他人其实是相辅相成的事,那么,当"幸福的革命"成功时,我们所看到的,不止是一个更幸福的社会,而且会是一个更善良的社会。

练习

排解纷争——要回被剥夺的至高财富

　　无论大小,去想像一个你和他人的纷争,把它写下来,看看它从你和对方身上所剥夺的至高财富。想想看，是否值得这样做？如果不值得，那就看看有没有方法可以去解决这个问题，一个可以为你和对方带来幸福的处理方案。

比如说，对一个让我失望的朋友，我是否应该对他记仇呢？这样做，可以为我或他带来任何幸福吗？或者是我应该把问题提出来，与他好好沟通，然后恢复我们的友谊，继续追求友情中的至高财富？

对他人的行为感到生气不是错误的，是自然的，它甚至是一种正确的感觉。比如说，当国家或家园遭到攻击时，有时一味地去争取和平是没有用的。但在大部分情况下，人们真的可以放下对家人、朋友或是其他任何人一些不必要的愤怒或是仇恨。

无论我们是决定原谅还是继续追究，重点是要以幸福为衡量标准。在这个过程中，我们所要问自己的问题是："怎样才能带给我更高的幸福感？"

结　论

幸福就在当下——如此而已

　　我们必须学会如何珍惜当前的事物。幸福的生活是累积而成的，无论是那些刻骨铭心的经历，还是那些点点滴滴的瞬间。

　　我对于社会走向一个情绪良好的状态非常看好。我相信，人们可以找到称心的工作，给他们现在以及未来的益处；人们可以在校园中找到至高财富的来源，人们可以找到那快乐和有意义的美满姻缘；"幸福的革命"会有成功的一天。但我不相信的是，这些改变可以马上做到。

　　在本书中，我提供了一套巧妙的有建设性的幸福理论，但生命往往既不巧妙，也没有什么建设性。理论最大的功效，就是在生命中建起一座平台，一个我们可以上去问正确问题的地方。当然,把理论转变为行动是艰难的。改变根深蒂固的一贯想法,改变自己和这个世界是需要付出极大努力的。

当人们发现理论难以应用时,一般都会选择放弃。但奇怪的是,人们可以为了物质上的东西而奋不顾身,在追求幸福的过程中却可以轻易放弃。如果我们想要得到幸福,就只能努力;要不幸福很简单(什么也不做),但要幸福则没有简易之路。

还等什么?

有一次,我和朋友金姆(Kim)在普拉文斯城散步,看着街道旁那些古雅的商铺,听着拍打在岩石上的浪涛声,呼吸着那带有咸味的空气,感受着在一个美丽小镇上度假的滋味。

当时,我还是一个学生。我告诉金姆,毕业后,我要搬到一个像普拉文斯城的地方。当时认为那是一个没有时限、没有竞争的地方,我觉得,在那里我就可以得到我此生追求的安宁了。我当时常想,毕业后,我要搬去一个安静的小镇,但在把它说出来后(它们变成了一种实质的东西)却让我感到了不安。

我是否掉进了未来的陷阱?我真的要等到毕业后吗?这本书的内容是我和金姆两人一起研究的,我们经常讨论有关幸福的话题。我们所讨论的其中一点是，如何在高竞争力的环境中、巨大的工作压力以及极其快速的生活中去找到宁静。金姆说："安宁必须是内在的。如果你觉得开心，那种幸福是可以传递的，走到哪儿就带到哪儿。"她接着又说："外在的东西并不是不重要，只是它们无法使我们快乐。"

　　我们经常会想，当到达某一个新境界时，就会有成就感，得到安宁并迎接幸福。我们会告诉自己，当达到某一个目标时我们可以得到平静。我们告诉自己，大学毕业后这些就会实现，或是在找到好工作赚很多钱、建立了家庭、有了孩子之后，或在达到一些其他人生的目标时。但大多数的情况下，当我们到达了那个目标之后没多久，就会回到基本的幸福感上。如果我们经常焦虑或紧张，那就算是达成了一些目标，不用多久，那些焦虑和紧张就又会出现了。

　　"忙碌奔波型"的人通常有一种控制未来的欲望。结果，他们就老是活在未来。他们宁可活在那紧张、充满假设性的未来，也不愿意活在平静的、真实的现在。如果我考试考不好怎么办？如果我无法升职怎么办？如果我无法支付房贷怎么办？正如诗人加尔威·金奈尔（Galway Kinnell）所说："他们无法享受当下，反而让对未来的担忧笼罩了一切。"

　　接着就是那些活在过去的人，他们一样无法去经历当前的事物。他们不断地把不好的过去在脑海里重复地播放着，他们先试了"忙碌奔波型"的生活，接着是"享乐主义型"

的；他们不断地沉思：为什么努力经营自己的情感却总是失败？为什么尝试了许多份工作却始终找不到使命感？由于总是把过去不断地重演，由于无法找出不幸福的原因，他们便放弃了幸福的潜力。

与其让自己被过去或未来绑着，我们不如学会去珍惜当前的事物。

从现在开始!

一般人对幸福的一个误解是，觉得某一样东西可以最终改变他们的幸福感，比如说一本书或是一个老师，一个梦中情人，某件事情的成功，一个奖品或一个伟大的发现。当然，以上的事情确实可以为我们带来很多快乐，但它们都不是永久的。如果相信这些神话，只会导致失望。任何幸福的生活绝不是源于某一件重大的事情或改变，幸福的生活，是靠累积而成的，无论是那些刻骨铭心的经历，还是那些点点滴滴的瞬间。

想要实现幸福的生活，想要发挥追求至高财富的潜力，我们首先要做的是去接纳"活在当下"的理念，也就是去关注那些日常生活中的小东西，那些普通的、平常的小事情，比如我们可以从与亲人相处、学习新知识以及工作任务中，获得意义与快乐。我们日常生活里这些快乐的事情越多，我们自然就会更幸福，如此而已。

致 谢

这本书的写作得到了许多朋友、老师和学生的帮助。当我第一次把草稿交给 Kim Cooper 时，我本来以为她只会做小小的修正，结果是随后我们在一起工作了数百个小时——争辩、讨论、分享、欢笑——这一切让写作本身就充满了幸福感。我特别要感谢的有 Shawn Achor, Warren Bennis, Johan Berman, Aletha Camille Bertelsen, Nathaniel Branden, Sandra Cha, I-Jin Chew, Leemore Dafny, Margot and Udi Eiran, Liat and Shai Feinberg, Dave Fish, Shayne Fitz-Coy, Jessica Glazer, Adam Grant, Richard Hackman, Nat Harrison, Anne Hwang, Ohad Kamin, Joe Kaplan, Ellen Langer, Maren Lau, Pat Lee, Brian Little, Joshua Margolis, Dan Markel, Bonnnie Masland, Sasha Mattu, Jamie Miller, Mihnea Moldoveanu, Damian Moskovitz, Ronen Nakash, Jeff Perrotti, Josephine Pichanick, Samuel Rascoff, Shannon Ringvelski, Amir and Ronit Rubin, Philip Stone, Moshe Talmon & Pavel Vasilyev。另外，要感谢我在积极心理学系的教学人员和我的学生们，他们不但提供了许多的想法，还让我收获了"幸福"这一至高财富。

无论在闲谈还是工作坊中，来自 Tanker Pacific 的同事和朋友们都对本书的内容作出了重要贡献。其中我特别要感谢的有 Idan Ofer，Hugh Hung，Sam Norton，Anil Singh，Tadic Tongi，以及 Patricia Lim。

我也很感激我的经纪人 Rafe Sagalyn，他的耐心、支持以及鼓励给了我莫大的帮助。也感谢我在 McGraw-Hill 出版社的编辑 John Aherne，他从一开始就对我的作品非常支持，也让整个出版的过程成为一种享受。

我很幸运的是拥有一个亲密和谐的大家庭——他们为我营造了一个幸福的氛围。谢谢 Ben-Shahars，Ben-Poraths，Moseses，Grobers，Kolodnys，Markses，Millers 和 Roses，我感谢他们与我过去相处的每一刻以及将要到来的每一刻，谈论并享受着快乐的生活。谢谢我的祖父祖母，他们经历了无数的苦痛，却展现出了人性最闪亮的一面。

本书中大部分的想法，来自于 Zeev 和 Aterett 的谈话，他们是我的胞兄和胞妹，两个极为出色、极富洞察力的心理学家。我的太太兼合作者 Tami 从一开始就耐心地倾听我的每一个粗浅的想法，并在随后耐心细致地阅读和评点我的每一页书稿。我儿子 David 和女儿 Shirelle，他们总是在我和太太讨论时耐心地坐在我腿上（他们不时地转头冲我微笑，提醒我什么是真正的幸福）。我的父母则给了我写这本书的原动力，更重要的是他们鼓励我一直不放弃对幸福的追求。

跋

幸福是一种能力

2007 年 1 月 20 日，哈佛大学积极心理学讲授者泰勒·本－沙哈尔博士步出北京首都机场，我大步迎上。作为邀请者，当我与这位略显腼腆的博士有力握手时，一个念头闪过：一场关于幸福的浪潮即将来到中国。

古今中外，多少人为财富抛尽韶华，为英名付尽青春，为权位苦煞人生，一路狂奔，无心领略风景，当奔至似乎本该充盈幸福的终点时，却一脚踏入虚无与空洞……其实人生的至高财富无非是幸福——一种持久而稳定的满足感。可是，幸福在哪里？

从宗教到哲学，从柏拉图到孔子，无数先哲贤士试图对这一重大生命问题进行解答。可是，幸福在哪里？

2006 年 6 月，作为一家国际心理服务机构的负责人，我意外得知，哈佛大学排名第一名的课程竟是一门心理学课程——积极心理学。作为心理学从业人士，这是我第一次听到"积极心理学"的概念，专业经验告诉我，这绝不是一个成熟、传统的心理学领域。更令我惊讶的是，一向在哈佛大学不起眼的心理学课程，竟然排名第一！

作为商学院的毕业生，我知道哈佛大学历来排名第一的课程是由著名经济学家曼昆教授讲授的经济学原理，这是一门在哈佛大学经久不衰的经典课程。积极心理学究竟缘何魅力，能够超越经典，直摘桂鼎？

美国国家公共广播电台（NPR）、美国有线新闻网（CNN）、美国哥伦比亚广播公司（CBS）、《纽约时报》和《波士顿环球时报》等数十家媒体这样评价：

泰勒博士被哈佛学生誉为人生导师、最受欢迎的讲课者。

泰勒博士曾是以色列壁球冠军，世界壁球种子选手，哈佛大学最优秀的学生之一，但他声称自己曾经不幸福了30年。

泰勒博士称积极心理学引领他找到了幸福的方法。

泰勒博士第一次讲课只有八个人选修，但第二个学期听课人数猛增至几百人，第三学期这门课便成了哈佛开课史上的奇迹。

上过这门课程的学生评价，这门课的奇妙之处在于，当学生们离开教室的时候，都迈着春天一样的脚步……

积极心理学打破了100多年来传统心理学只关注失败和

障碍的旧模式，它并不针对解决心理问题，而是关注积极力量和积极品质，研究如何让人活得更幸福。积极心理学告诉人们，幸福不是可望不可及的，幸福可以通过练习后养成习惯。积极心理学被称为国际心理学界的第四次浪潮，这是一门"关于幸福的科学"。

当积极心理学和这位泰勒博士的信息涌入我的脑海，一个清晰的决定形成了："寻找泰勒博士！"

如果痛苦是一片黑暗，那么传统心理学便是在黑色的大海上艰难地寻找彼岸。如果幸福是一片明媚，那么积极心理学无疑是在阳光下滋养繁茂，让人们感受乐观、温暖和积极的力量！积极心理学使幸福从宗教和哲学的领域，被纳入科学的范畴进行研究和探讨。经过严格科学实验证明过的方法和手段，使幸福这一模糊的、个人化的主观感受，变得具有科学性、可操作性和可量化性。这不正是人类的福祉吗？

给泰勒博士发出的数封邮件，石沉大海，没有回音。2006 年 8 月，在两个月毫无进展地等待之后，我得知一个令人振奋的消息：泰勒博士将受邀到上海参加一个哈佛大学组织的活动，该活动由全球最大的投资银行——高盛投资银行赞助。我紧急联系了我在清华大学导师、高盛前总裁约翰·桑顿先生，他也应邀在这次活动中发表演讲。我请桑顿先生引见泰勒博士，桑顿先生欣然答应了。但不巧的是，桑顿先生到达上海之时，泰勒博士按行程将离开上海。为此，我和本书译校者汪冰博士决定贸然拜访。

有一种幸福叫做知遇。当我与汪冰几经辗转，与泰勒博士在上海初次见面时，我们从第一个微笑与致意中便读出了久已相识的宿缘。在接送泰勒博士从宾馆到会场的途中，我们在对幸福主题高度一致的兴趣与感悟中讨论解析中国人在快速经济发展中所面临的心理困惑和挑战……

两天后，原本计划在上海逗留四天的泰勒博士，决定与我们到北京，深入讨论积极心理学进入中国的意义和模式……泰勒博士的讲课时间原来需要提前一年预约，但在随后的三个月中，我们与泰勒博士密切交流。最终2007年1月20日泰勒博士便在中国首次开课了！

"哈佛大学排名第一的课程积极心理学——幸福的科学进入中国，其讲授者首次在京开课"，这一信息在CCTV-2"全球资讯排行榜"入榜。中国近百位心理学专家到场听课，超过130位在京外企人力资源总监和主管聆听了泰勒博士的专场演讲……

很多人如我一样，在听到诸多炫目的宣传介绍后，期待着一场令人激动的演讲，期待着听完演讲后有一种积极的力量在心中高涨激荡……然而，在泰勒博士进行完第一场两小时的演讲后，我却相当不安！

泰勒博士在讲课时自始至终略带腼腆，语气平缓，既不高昂也不激动……观众们自始至终安安静静坐在座位上，没有被要求大声回应或起立欢呼，也没有人面露难以抑制的激动。演讲结束后，观众安安静静地鱼贯而出，有人似乎面露失望……

晚饭时，我向泰勒博士委婉地提出："有一些听众或许期望得到一种令人激动的现场感觉，或者立刻能感受到积极的改变。"泰勒博士微笑着对我说："请允许我做我自己。"这是我所学到的积极心理学的第一课——"做自己"。

听过泰勒博士几天的演讲后，我开始清楚地知道，积极心理学不是"承诺多、效果少"的激情演讲，而是经过严格的实验与实证的心理科学。泰勒博士不是现场表演型的激励大师，而是在科学领域中，严谨地引领听课者发生悄悄的改变——脚踏实地地、积极地改变。

首先改变的是我。在泰勒博士首次讲课返美后，我做的第一件事便是召集研究院的全体人员开会。在会上我向大家真诚道歉："以往我对大家的工作要求苛求，却少有'欣赏式探询'，关注目标而忽略了你们是否有快乐的过程……如果你们在工作中不快乐或有过度压力，我就是你们痛苦的最大制造者。对不起，我会改变的！"从那天起，员工们开始"迈着春天般的脚步"快乐地工作至今，而我也从由"责任"、"目标"而生的焦虑与压力中解脱出来，让内心渐渐春暖花开。改变是如此真实。

在泰勒博士的帮助下，我们整合全球一流的专家、学者，在香港组建了亚洲积极心理研究院，旨在推动积极心理学在亚洲特别是中国地区本土文化下的研究和应用，推动学术进步，并逐步建立积极心理学的讲师认证体系。

2007年4月，泰勒博士作为亚洲积极心理研究院的首席顾问，第一次为中国高端企业家开设三天的课程。那些企业家个个身经百战，充满智慧，思想深刻，但没有人听说过积极心理学，以他们厚重的经历，他们怀疑一门心理学是否真的可以告诉他们"幸福是什么"，怀疑一个西方心理学家是否真的可以教他们"如何获得幸福"。一位三家上市公司的总裁，在临上课之前告诉我，他太忙了，准备退课。我请他"停下一直忙碌的脚步，请把三天的时间留给自己的心灵，只有三天"。他狐疑地留下来。满额30人的班，只有10个人报名。

三天课程开始，泰勒博士的第一句话是："你们不会从我这里学到新东西，我说的每一句话，你们都知道……我要做的只是提醒你们这些你们都知道的、但忽略已久的真理，能真正改变你们的生活。"一天又一天，他用一贯平缓的方式娓娓道来，改变于无形与无声。课上，企业家们起初怀疑甚至不屑的表情渐渐放松下来，抱在前胸的手臂放下来，双眸放出了光彩。他们为一个看似简单的关于幸福的问题而沉思，课上的小练习他们一遍遍认真地参与……或许，他们第一次离幸福如此亲近。

那位三家上市公司的总裁在课上递给我一张纸条："子君，谢谢你'强迫'我有机会上了这次课程。这是一次奇妙的心灵之旅！"他说："我带着怀疑的态度来参加课程，课程给了我非常大的冲击。因为从来没有用这么简单的方法来审视自己，看清楚自己。我如同凿掉了许多心灵上的石块，让生命轻松地透一透空气……"

《环球企业家》杂志社董事总经理陈婷说："上课前，我觉得我已身经百战，已是少有的积极和坚强，或许不太需要这门课程。但上第一天课程的晚上，我四年来第一次流泪，而且是失声痛哭……一个人在世界上包装给别人看的东西容易做到，最难发现或最难面对的是心灵深处的东西……我现在感觉很轻松。当我接纳而不是抵抗自己的痛苦时，我走近了幸福……"

中德诺浩教育投资公司董事长许婕是一位破产后东山再起的企业家，她说："课程没有令人震撼的结构或内容，很多道理我们都熟知，但课程效果令人非常震撼……这门课程对于目前社会上的成功人士特别有帮助，我们在追求成功时不必再以痛苦为代价。这门课给了我们既成功又幸福的机会。"

沈阳双良集团董事长王国良先生课后回到他所在的城市，兴奋地给我打来电话："以前我八岁的儿子不愿意对我讲学校里的事情，我用了'欣赏式询问'，他现在滔滔不绝……积极心理学里的方法对我太太和孩子一用就灵……"

2007年7月，泰勒博士在中国第二次开课，上课人数增至20人，全部是由第一期学员推荐的企业家。课后调查反馈结果表明，课程满意率100%！2007年11月份的课程已需预约方可有席位！

第二期学员EFG银行欧洲金融集团代表处代表胡海燕感慨地说："我们背负着沉重的压力、满怀着达不到目标的恐惧，顾不上亲人的感受需求，体验不了生活的万千情趣，躁动浮夸、随波逐流。这导致我们在"不如别人"的攀比中自责，在失衡的"成就"中头脑发胀，在拜金主义的世界里迷失自我！有幸参加泰勒博士的积极心理学课程，如获迷雾中的明灯、沐浴寒浊中的春风，一种看似简单，却带有颠覆性的理念使我顿开茅塞——什么是人生目标？处在终极位置上的，应该是幸福！"

在课程中，我们将这本书的初译稿作为课程讲义发给学员。有位学员是美国懿康公司董事兼总裁司徒碧仪，她精读完这本书后，马上在香港买了本书的英文版，送给她"急需幸福"的朋友们。许多学员在看过本书后，认为它的内容与泰勒讲课的风格非常一致——在润物细无声中，以严谨的思维，通过自身经历与感受，用切实可行的科学方法，引领读者走向幸福。

十届全国政协委员、席殊书屋创始人、著名硬笔书法家席殊先生上过泰勒博士两次课程，当时他正艰难挣扎于事业低谷，他说："我曾经很成功，也曾经惨败。我关注心灵已经很久，看过很多宗教和哲学的书。而让我内心发生真正改变的是积极心理学"。他说："泰勒博士这本书，我看了很多遍，几乎每一句话对我都有启发。这本书真正让我吃惊的是，在修正我的人生态度时，行为也发生了改变！书中的练习我每天都在做，这就是一本'幸福生活练习册'，让幸福不仅可以感知，还可以练习。这是在我以前所有的阅读中从未体验过的。我是幸运的。在我人生最暗淡的时光，遇到了Tal博士，发现了积极心理学，让我走出了失败的阴影，获得了宁静、自在，我真实地感觉到积极的心理力量在我心中每天成长。我很长时间都没有这种幸福的感觉了……。"

然而，幸福并不是那么容易得到的。正如泰勒博士在书中所说："只是阅读本书（或其他任何书籍）本身，是无法令你的生活发生任何实质性改变的……你必须把它看作一本练习册，不断地反思和行动才行。"

2006年2月，哈佛大学出了件大事：校长萨默斯为自己的惊人之语"女人天生不如男"付出了"下课"的代价。即将去职的萨默斯闷闷不乐，他的好友找到泰勒博士，讨教能让萨默斯快乐起来的秘笈。泰勒博士便给出了下面的练习：

第一，勇敢地去经历他现在正经历着的任何事情，并且自然地接受下来。他现在可能很烦乱和难过，但这些都属正常，因为他也是人。

第二，让萨默斯知道"人类有非凡的克服沮丧事件的能力"。事情并没有他最初看起来那么糟，即使丢掉了世界顶级大学的校长之位。

第三，他可以仔细回顾一下作为哈佛校长的经历，回忆自己任期内的巅峰时刻，并用他所感悟到的自身优势去寻找新的机会。

假如上述办法仍不奏效的话，泰勒博士支了最后一招："我可以在我的课堂上留一个座位，校长先生可以旁听这门课程并做相应的论文。"

关于萨默斯的最新消息是，他已经出任奥巴马白宫经济委员会主任，任奥巴马特别经济事务助理。看来正如泰勒所说，丢掉世界顶级大学校长职位不是灭顶之灾，他依然可以用自身优势寻找新的用武之地①。

萨默斯是不是做了这些练习，我们不得而知。但大量事实已经证明，许多成功人士在经历低谷时应用了积极心理学的方法和手段，成功地应对了低谷情绪和沮丧事件，重新获得心理力量以及幸福体验。

无论我们正处于何种生命状态，遭遇不幸，经历变迁或追求卓越，名利双收，也无论对人生正经历困惑、求索或领

---

① 本书再版时笔者补记

悟，我们对生命都要负一个重要的责任——"让自己更幸福"。正如泰勒博士在书中所说："人类的终极目标只是一个——幸福！"。积极心理学研究结果表明，追求幸福具有简单可行的方法，"它们绝对可以帮助你活得更快乐更充实。我知道它们是可行的。"泰勒博士在书中说，"因为它们已经深深地帮助了我。"

幸福，是一种能力！幸福，是可以学习的！

亚洲积极心理研究院理事长　倪子君

2007 年 9 月

2009 年 3 月修订于清华园

泰勒博士"积极心理学课程"首期中国学员感言

无论你是谁，这本书，得看，得认真看，得抢着看，因为它和你太有关系了。

无论你现在生活得怎样，看这本书，好，很好，可以更好，谁不想要"至高财富"呢。

沾衣欲湿杏花雨，道是无情却有情，原来如此，果然如此，有心的读者，一看便知。

—— 时尚传媒集团 联合总裁 **刘江**

泰勒博士在《幸福的方法》中揭示了关于幸福的事实：每个人都希望活得更幸福，但往往在追求幸福的过程中，却忽视了幸福本身的含义和你所追求的最终目的。

《幸福的方法》认为：每个人都有机会拥有幸福和快乐，关键是如何认知和寻找适合自己的幸福方式。它让每个读者去反思自己的内心渴求，学习去接纳自己并归纳过去的成功经验，让你成为自己幸福的主宰者。

—— 美国懿康公司 董事兼中国首席代表

司徒碧仪

　　我曾经错误地以为，只要不断努力、不断超越，心灵就会得到成长。泰勒博士却告诉我，心灵的成长靠的是减法而不是加法。

　　我曾经固执地认为，自己的心灵已经非常坚强，不需要心灵体验的课程，但在泰勒老师的课堂上，我却重新找回了自己。

　　在纷繁复杂的现代社会中，我们忙碌于事业、家庭的和谐共荣，却常常忽略自身的幸福，以牺牲自身幸福换来的成功，往往脆弱而不长久；我们每个人都需要做真实的自己，只有悦纳了自己，才能悦纳别人；只有掌握了欣赏式探寻的方法，在管理员工和家庭中才会更加从容。

　　《幸福的方法》将像一盏明灯，照亮那些在生活与管理的黑夜中行走的人们，就如同照亮我的心灵一样。每个行在路上的人都需要这束光芒！

　　　　——《环球企业家》杂志 董事总经理

　　　　陈婷

　　有的书值得翻一翻，有的书值得读一次，有的书值得看几遍，而《幸福的方法》是值得一生阅读的书！

　　　　—2007年中华十大管理英才、

　　　　中文在线董事长 童之磊

媒体对本书作者的评介

每个人都想得到幸福，但有几个人能解释幸福是什么？在哈佛大学最受欢迎的课程"积极心理学"里，泰勒博士不但详细解释了幸福是什么，还把幸福的完整结构呈现给大家。幸福不再是一种"摸不着"的东西。

—— 亚马逊图书网（Amazon）

幸福，有人曾经把它编在歌曲里，有人曾经把它写在书籍中。今天，美国哈佛大学把它搬进教室里。不仅如此，泰勒博士讲授的有关幸福的"积极心理学"还成为了哈佛大学排名第一的课程，超越了长期排名第一的"经济学原理"。在历史上首次以科学来认证幸福是什么。

—— 美国有线新闻网（CNN）

幸福是所有人应得的。泰勒博士坚信，无论任何人在任何环境中都可以获得幸福。他在此贡献了多年来学术上的研究成果，把它们呈现给所有人，与大家分享终生提升幸福感的方法。

—— 美国在线（American On-line）

这学期哈佛大学"最受欢迎的课程"是泰勒博士讲授的积极心理学，学生们在课堂上学习"如何获得幸福"。泰勒博士自己本身就是幸福的榜样。他放弃了"多发表论文才能证明学术成就"的哈佛传统观念，全心全力地投入到积极心理学相关崭新领域的研究上，这些研究注重如何让人提升实际幸福感，而不是只注重传统的心理理论研究。

—— 美国国家广播电台（NPR）

泰勒博士所教授的积极心理学之所以对每个人都重要，是因为它不是加强我们对数学、文学或是科学上的知识学习，而是加强生命中幸福感的方法，一个我们分分秒秒都要面对的感觉。

——《波士顿环球时报》（Boston Global）

我认识的每个上过这门课的人都说，这是他们在哈佛上过的最好的课程。一位和我要好的女生说，它改变了她的生命，给了她一种看问题的不同视角，对幸福的理解也改变了。甚至助教们也说，自打跟本－沙哈尔教授"幸福课"以来，一年中身体出奇的好，心情也爽多了。"我改善了我的饮食、睡眠、人际关系，还有人生的方向感。这些对我来说，都是很重要的东西。"另一位助教称，这门课的出勤率平均在95%以上。"它的奇妙之处在于，当学生们离开教室的时候，都迈着春天一样的步子。"

——摘自《中国青年报》泰勒博士专访

幸福是什么？如何找寻幸福？其实幸福快乐的奥秘就在你自己手中，在于你的视角、你的理解、你的心态、你的选择，换一种视角生活，以积极战胜消极，学会"自我帮助"，你会发现离幸福更近一步。

——摘自《光明日报》泰勒博士专访